reisgids

I

Inhoud

het magazine 5

Je draai vinden 25

Deira 33

Bur Dubai 55

WAT & HOE KOSMOS REISGIDSEN

Wat & Hoe: Wat anders?
www.watenhoe.nl
www.watenhoe.be
www.boekenwereld.com

Oorspronkelijke titel: *Spiral Guide Dubai*

Geschreven door Robin Barton

Eerste druk 2007

Vertaling: Baukje Felderhof
Zetwerk: TiekstraMedia

ISBN: 978 90 215 8147 7
D/2007/0108/009
NUR 517

Gepubliceerd door AA Publishing, de handelsnaam van Automobile Association Developments Limited, kantoor houdend aan Fanum House, Basing View, Basingstoke, Hampshire RG21 4EA, Engeland.

Ingeschreven onder nummer 1878835

het magazine

De Maktoums, aangenaam

Eén familie bestiert de stadstaat Dubai als een machtig bedrijf: de Maktoums. De president van het emiraat is sjeik Mohammed bin Rashid Al Maktoum. Met zijn familieleden die topbedrijven leiden en vergelijkbare ambities hebben, staat sjeik Mohammed aan het roer van de snelst groeiende stad ter wereld.

De Maktoum-dynastie van Dubai stamt uit 1833, toen een stam wegtrok uit het naburige Abu Dhabi en zich vestigde bij de Dubai Creek, dat de basis zou worden van de rijkdom van Dubai. In die tijd werd het gebied dat nu de Verenigde Arabische Emiraten (VAE) is, bestuurd door ongelijkwaardige stammenfamilies, maar onder leiding van sjeik Maktoum bin Buti concentreerde het volk van Dubai zich op het opbouwen van hun gemeenschap door handel, visserij en parelvisserij.

Enkele cruciale besluiten droegen bij aan de ontwikkeling van Dubai van woestijndorp tot de huidige metropool. Ten eerste werden immigranten warm onthaald door de Maktoums. Handelaren uit Perzië (nu Iran) en India werden aangemoedigd zich in Dubai te vestigen. De handel bloeide op de markten (souks) langs de Creek toen Dubai een tussenhaven werd op de handels- en specerijenscheepvaartroutes.

De handelsbelasting werd afgeschaft onder sjeik Maktoum bin Hasher (bewind: 1894-1906) en ook veel duikers en werkenden in de parelindustrie werden vrijgesteld van belasting.

Maar onder sjeik

Pagina 5: Het gaat er wild aan toe in themapark Wild Wadi Linksonder: In 2006 ging de heerschappij over Dubai na de dood van sjeik Maktoum bin Rashid Al Maktoum (rechts) over op zijn broer sjeik Mohammed bin Rashid Al Maktoum (links)

Onder: Olieraffinaderij Jebel Ali Port

Saeed bin Maktoum Al Maktoum ('bin' betekent 'zoon van') kwam de ontwikkeling van Dubai pas echt op gang. Hij heerste van 1912 tot 1958. In de eerste twintig jaar van de 20e eeuw verdubbelde de bevolking van Dubai tot circa 20.000, maar in de jaren dertig werd de stad getroffen door de wereldwijde recessie. De diversiteit van zijn economie hield Dubai echter drijvend.

In 1958 kwam sjeik Rashid bin Saeed Al Maktoum aan de macht; hij had een heldere en fascinerende visie voor de toekomst van de stad. De sjeik en zijn adviseurs formuleerden een moedige strategie die gevoed werd door het product dat de wereld steeds meer gebruikte: olie.

De oliereserves van Dubai waren beperkt en maakten in 2004 een slinkende 6 procent uit van de economie. Maar, hoewel de vrijgevigheid van het olierijke Abu Dhabi met zijn vermogen een zegen was voor de hele regio (➤ kader, pagina 8), profiteerde Dubai met zijn zakelijke gewiekstheid op zijn eigen manier van het geluk. Omdat hij wist dat Abu Dhabi zwaar industrieel materieel moest importeren om raffinaderijen, boorplatforms en booreilanden te bouwen, liet sjeik Rashid in 1960 voor 850.000 dollar de Dubai Creek uitbaggeren. In de nieuwe diepe haven konden grote vrachtschepen aanleggen en al snel betaalde Abu Dhabi om zijn industriële ladingen te mogen lossen in de nieuwe haven van Dubai.

Daarna investeerde sjeik Rashid in de internationale luchthaven van Dubai, de Maktoum-brug over de Creek, en de Jebel Ali Port. De luchthaven begon in de jaren zestig zijn bestaan als een enkele, zanderige start- en landingsbaan, maar had al snel vol-

Sjeik Zayed

Natuurlijk hebben de Maktoums geen totale zeggenschap over de zaken van Dubai. Het emiraat is er maar een van de zeven onder de vlag van de Verenigde Arabische Emiraten en het emiraat met het voorzitterschap over de VAE is Abu Dhabi. Abu Dhabi is de op drie na grootste olie-exporteur ter wereld en vertegenwoordigt circa 90 procent van het totale vermogen van de VAE. Het heeft ook de grootste bevolking en is, sinds Dubai de defensieverantwoordelijkheid overdroeg aan Abu Dhabi, de hoofdkrijgsmacht van de VAE. Abu Dhabi werd 38 jaar lang geleid door een bezielende man: sjeik Zayed bin Sultan Al Nahyan, die in 2004 stierf op 86-jarige leeftijd. Hij verenigde de ongelijkwaardige emiraten tijdens een cruciale periode in 1970, waarna hij de Verenigde Arabische Emiraten een periode van ongekende groei in leidde. Met enorme inkomsten uit zijn olievoorraden stichtte Abu Dhabi stadsprojecten door de hele VAE, en bood goedkope stroom, water, scholen en ziekenhuizen aan. Vanaf 1966, toen hij aan de macht kwam, tot nu is de levensverwachting gestegen van 42 tot 72 jaar. Sjeik Zayed wordt zeker gezien als de vader van de moderne Verenigde Arabische Emiraten. De hoofdweg van Dubai is zelfs naar hem vernoemd.

doende capaciteit voor honderden wekelijkse vluchten. De slimme planning van sjeik Rashid loonde: in 2005 vervoerde de luchthaven 25 miljoen mensen.

Jebel Ali Port, voltooid in 1979, is 's werelds grootste kunstmatige haven. Er werd ruim 2,5 miljard dollar in het project gepompt, maar het leek alsof het halfleeg zou blijven. Maar door de invoer van een vrijhandelsgebied in de haven en problemen aan de andere kant van de Golf tussen Iran en Irak gingen tankers Jebel Ali gebruiken. 'Bouw het en ze zullen komen' was de stelregel van sjeik Rashid.

De infrastructuur van Dubai groeide sneller dan zijn bevolking en diensten, dus sjeik Rashid trof maatregelen om mensen aan te trekken om in Dubai te wonen, werken en op vakantie te gaan. De eerste wolkenkrabber, het Dubai World Trade Centre in 1979, lokte de eerste golf bedrijven om zich in Dubai te vestigen. Nu zijn er hele buurten gewijd aan het naar Dubai halen van mensen en hun werk. Het eerste luxueuze hotel van Dubai, het Intercontinental, opende in 1975 haar deuren op de oever van de Creek en in de jaren tachtig openden nog eens tientallen hotels voor zakenreizigers en, uiteindelijk, vakantiegangers. De bevolking van de VAE groeide van 180.000 in 1968 naar 2,62 miljoen in 1997 (30 procent daarvan zijn Emirati's) tot 4 miljoen in 2003.

In 1990 werd sjeik Rashid opgevolgd door zijn zoon sjeik Maktoum en na zijn dood in 2006 nam zijn jongere broer, sjeik Mohammed, het over. Sjeik Maktoum bouwde verder aan de nalatenschap van zijn vader en liet woningen bouwen en belangrijke infrastructuur aanleggen zoals parken, bibliotheken, wegen en andere voorzieningen. Maar velen zagen zijn broer, sjeik Mohammed, als het ambitieuzere familielid en beweerden dat hij '20, 30 jaar vooruit' plande. De olie van Dubai zal binnenkort opraken en dan wil sjeik Mohammed Dubai op de kaart hebben gezet als financieel centrum van wereldklasse en populaire vakantiebestemming.

Sjeik Mohammed bin Rashid Al Maktoum

WAT ZIJN DE VERENIGDE ARABISCHE EMIRATEN?

Ondanks een erfgoed van duizenden jaren oud en families van vele generaties zijn de Verenigde Arabische Emiraten een van de jongste landen ter wereld. Het land is in 1971 gevormd uit een federatie van de zeven voormalige Verdragsstaten Abu Dhabi, Dubai, Sharjah, Ajman, Umm Al Quwain, Ras Al Khaimah en Fujairah. Op 2 december 1971 werden de Verenigde Arabische Emiraten geboren (Ras Al Khaimah, het weigerende Emiraat, trad toe in 1972).

De Emiraten liggen langs de zuidoostelijke hoek van het Arabisch schiereiland. In het westen grenst Abu Dhabi aan Saoedi-Arabië en Katar en in het oosten grenst Fujairah aan Oman. Elk emiraat wordt bestuurd door zijn heersende familie, maar sommige besluiten worden collectief genomen. Sjeik Khalifa bin Zayed Al Nahyan, de heerser van Abu Dhabi, erfde in 2004 na de dood van zijn vader sjeik Zayed bin Sultan Al Nahyan het presidentschap over de VAE.

Abu Dhabi
Abu Dhabi is het grootste emiraat, zowel qua invloed en economie als qua omvang. Het is de hoofdstad van het land.

Dubai
Qua omvang en invloed moet Dubai alleen Abu Dhabi voor laten en kan gezien worden als het internationale gezicht van de VAE.

Sharjah
Het meest traditionele emiraat met de meest strikte islamitische wetten en de beschermer en promotor van het culturele erfgoed van de VAE.

Ajman
Beroemd om zijn zeevaardersgeschiedenis. Nog steeds is hier te zien hoe de houten *dhows* worden gebouwd.

Umm Al Quwain
Het op een na kleinste emiraat, voor zijn inkomsten afhankelijk van landbouw en visserij.

Ras Al Khaimah
Ras Al Khaimah is het meest pittoreske hoekje van de VAE.

Fujairah
Het enige emiraat aan de oostkust en dankzij zijn natuurschoon en stranden een populaire plek onder stadsmensen die er het weekend doorbrengen.

Boven: Sjeik Zayed met zijn gevolg: ondanks zijn dood in 2004 is zijn invloed nog steeds voelbaar in de VAE

Het verhaal van Godolphin

Volgens een Arabisch spreekwoord waait de beste wind in de schepping tussen de oren van een paard. Die wind is zelfs nog beter als hij tussen de oren van een renpaard voor Emirati's waait, en vooral sjeik Mohammed bin Rashid Al Maktoum is dol op paardenrennen. Maar de interesses van sjeik Mohammed reiken verder dan alleen elk jaar gastheer te zijn van 's werelds duurste paardenrennen op Nad Al Sheba: hij heeft ook de Godolphin-stal opgericht, met vestigingen in Dubai en Engeland. Vanuit deze twee bases worden raspaarden erop uit gestuurd om de meest prestigieuze koersen ter wereld te winnen – en met 55 procent van alle Godolphin-paarden met minstens één gewonnen koers zijn ze enorm succesvol.

Godolphin bracht zijn eerste internationale kampioen voort in 1994, hoewel het eerste renpaard van de stal in 1992 op Nad Al Sheba rende. De paarden van sjeik Mohammed hebben in 14 landen op 113 renbanen gelopen, bereden door 152 verschillende jockeys. In slechts tien jaar heeft hij een renstal opgericht die tot de top drie van de wereld behoort. Het verbaast u misschien dat dit bereikt kon worden in de woestijn net buiten Dubai, maar als u de Godolphin-stallen bezoekt, is het alsof u een andere wereld binnenstapt. Hoewel de paarden in Dubai op zand rennen, is het stallengebied royaal geïrrigeerd en waant u zich bijna op het Engelse platteland. De paarden van de sjeik uit de stallen van Dubai strijden op het naburige Nad Al Sheba, waar elke lente de Dubai World Cup wordt gehouden, de duurste koers ter

Boven: De Dubai World Cup is een van de grootste trofeeën ter wereld

Vijf grote Godolphin-paarden

Balanchine Balanchine zette Godolphin op de kaart en bewees dat de zachte winters van Dubai perfect waren om volbloeden te fokken. Ze was het eerste Godolphin-merrieveulen die een Group One-koers won, in 1994.

Lammtarra Lammtarra is een legende in Europese renkringen: hij won drie van de meest gewilde trofeeën, waaronder de Engelse Derby in 1995.

Dubai Millennium Dubai Millennium, gefokt om Godolphins topper te worden op de millenniumwisseling, was ongetwijfeld een van de beste renpaarden ooit. Hij stierf in april 2001.

Street Cry Street Cry was Godolphins bestverdienende paard: hij won tijdens zijn loopbaan 5,1 miljoen euro. Hij won in 2002 de Dubai World Cup.

Dubawi Dubawi, een van de weinige door Dubai Millennium verwekte veulens, staat voor de toekomst van Godolphin. Het paard begon zijn campagne in 2004, werd in 2005 teruggetrokken na een blessure en wordt sindsdien gebruikt als fokhengst.

Boven: Volbloed winnaars en beloften uit de stal van Godolphin Onder: Kampioenen van de toekomst? Trainende paarden bij de stallen van Al Quoz

wereld met prijzengeld dat in 2005 opliep tot 15 miljoen dollar. Maar de echte prijs is de trofee, een 18-karaats vergulde beker die 5236 g weegt en 73 cm hoog is. De beker, een van de grootste trofeeën ter wereld, is gemaakt door de Britse juwelier Garrard en wordt tentoongesteld in een aparte kamer in de Godolphin Gallery.

Maar de ambities van sjeik Mohammed gaan verder dan Dubai, en zijn Godolphin-stal in Newmarket is de basis voor zijn Europese campagnes op de turfbanen van Engeland, Ierland en Frankrijk. Weinig paarden zijn goed op zowel zand als turf, maar Dubai Millennium was zo'n paard. De paarden van Godolphin brengen de winter door in Dubai en de zomer in Newmarket. Om jaloers op te worden.

De Godolphin Arabian

De renstal van de familie Maktoum is genoemd naar de Godolphin Arabian, het paard waaraan de meeste huidige renpaarden hun genen ontlenen. De Godolphin Arabian werd in 1724 in Jemen geboren en als geschenk meegenomen naar Frankrijk, waar Edward Coke, een Engelsman, het veulen ontdekte en meenam naar Engeland. Toen Coke stierf, werd het paard verkocht aan de 2e graaf van Godolphin en verwierf hij zijn naam. Hij verwekte 80 veulens tot zijn dood in 1753 nabij Cambridge: zijn graf ligt in Wandlebury Ring, Babraham, Engeland.

Dubai is een stad van superlatieven: het grootste winkelcentrum, de hoogste toren, de duurste hotelsuite, het is er allemaal. 'Bouw het en ze zullen komen' is sinds de jaren zeventig de stelregel van de heersers van Dubai, en het emiraat wordt een bouwkundig wonderland.

Links en onder: De skyline van Dubai verandert voortdurend

ARCHITECTUUR

Vergeleken bij andere grote wereldsteden hebben de projectontwikkelaars van Dubai één enorm voordeel: een overvloed aan leeg land. Ze hoeven hun ontwerpen niet tussen andere gebouwen te persen, of een politiek mijnenveld te nemen om goedkeuring te krijgen voor hun voorstel. Nee, onroerend goed in de woestijn is een schone lei en architecten worden door de politieke wil van de leider van Dubai, sjeik Mohammed, gestimuleerd om steeds verbazingwekkendere bakens voor zijn stad te maken. Sommige projecten zijn op zichzelf het vliegticket naar Dubai al waard, zelfs als u geen architectuur studeert. De Burj Dubai – *burj* betekent 'toren' – is het recentste wonder, maar op de lijst staan ook de Dubai Creek Golf and Yacht Club, de Emirates Towers aan Sheikh Zayed Road, het Madinat Jumeirah-hotel en amusementscomplex en natuurlijk het Burj Al Arab-hotel.

Dubai steekt zijn architecturale ambities niet onder stoelen of banken. Op billboards bij de bouwterreinen staan slogans als 'The Future is Now', 'We Build Cities', 'History Rising' en 'The World Has A New Centre'. De komende tien jaar zullen enkele zeer radicale bouwprojecten worden gerealiseerd, waaronder de drie Palmeilanden, Hydropolis (het eerste onderwaterhotel ter wereld) en Dubailand, een bijzondere verzameling van themaparken over een gebied groter dan Manhattan.

De beroemde Emirates Towers (linksonder) zullen spoedig klein lijken door de Burj Dubai (rechts)

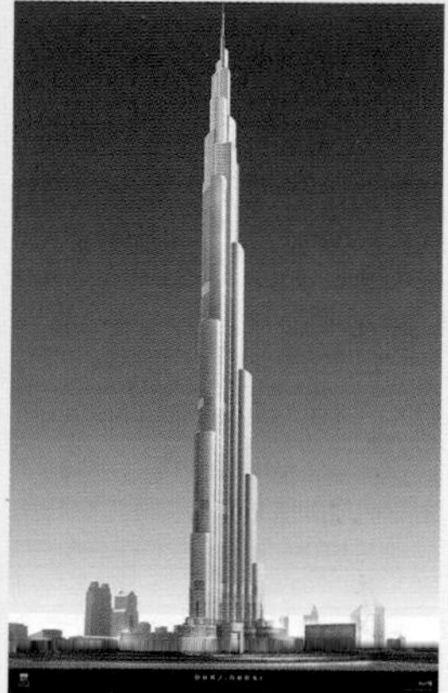

De Burj Dubai

De verhitte strijd tussen sommige wereldsteden om het hoogste gebouw ter wereld te hebben is er, zelfs nu de toren elke dag hoger oprijst uit de woestijn, de reden van dat de projectontwikkelaars van de Burj Dubai niet willen zeggen hoe hoog het gebouw uiteindelijk wordt. Maar het zal niet ver van de 1 km af zitten. Als hij klaar is, zullen de bovenste etages in woestijnwinden naar elke kant uitzwaaien tot 1,6 m. Doordat dit verbazingwekkende toppunt van een wolkenkrabber – bijna etherisch maar tegelijkertijd geweldig futuristisch – verrijst uit de kale woestijn lijkt het nog meer een vage luchtspiegeling te zijn. Uiteindelijk zal de Burj Dubai omgeven zijn door commerciële en woningbouwprojecten, parken en amusementsgelegenheden, maar dat zal zijn na voltooiing van de toren in 2008. Een totaal van 60 liften, waaronder enkele van de snelste ter wereld die u in een minuut naar de 120e etage brengen, zal mensen omhoog en omlaag vervoeren in de toren. Het project zal 8 miljard dollar kosten en wordt geleid door de uit Chicago afkomstige architect Adrian Smith, die toegeeft deels te zijn geïnspireerd door de Stad van Smaragd uit *De Tovenaar van Oz*. Zijn verbluffende, duizelingwekkende creatie kan inderdaad zo uit een sci-fi fantasie komen.

In 2005 en 2006 trokken de werk- en leefomstandigheden van de 250.000 arbeiders de aandacht. Velen komen uit India, Pakistan en Sri Lanka in de hoop geld naar hun gezin te kunnen sturen. Maar vaak moeten ze eerst hun lening voor de reis naar Dubai aflossen en met een maandsalaris van zo'n 700 Dh (170 dollar) kan dat lang duren; hun paspoort en visum worden vaak vastgehouden door hun werkgever. Vaak delen ze een kamer met 25 anderen en werken ze in temperaturen tot 50 °C. De regering van Dubai heeft beloofd oneerlijke en gevaarlijke werkmethoden te zuiveren en te reguleren voor haar gastarbeiders.

Traditionele architectuur

Modern Dubai stamt grotendeels uit de jaren zeventig en daarna, maar er zijn nog plekken waar de traditionele architectuur van de regio te zien is. Vroege kolonisten, vaak bedoeïenen, zetten eerst tenten van dierenhuiden en beschuttingen van palmblad (*barasti*) op voordat ze elementaire huizen bouwden van koraal besmeerd met kalkpasta. Toen nazaten van de Maktoum-familie aankwamen in de 19e eeuw werden er stevigere gebouwen gemaakt van blokken leem. Later werden er gips, steen, koraal en schelpen gebruikt, terwijl het interieur werd uitgerust met teakhout en sandelhout. Ontwerpers en bouwers vochten voortdurend tegen de hitte en het licht in de woestijn. Ventilatie was essentieel en, in een tijd vóór elektriciteit en airco, werd er een slim systeem van windtorens gebruikt. Een windtoren – te zien in Bastakiya (➤ 64) – liet lucht naar beneden stromen in de kamer eronder. Een andere vijand was het zonlicht en er werd schaduw verkregen door smalle steegjes en hoekige ingangen om directe lichtinval te blokkeren.

Waar traditionele gebouwen bezichtigen

Bastakiya (➤ 64–65) Deze buurt in Bur Dubai op de oever van de Creek wordt zorgvuldig gerestaureerd en bevat een schat aan traditionele gebouwen.

Majlis Ghorfat Um Al Sheef (➤ 90–91) De toekomst van Dubai is besproken in deze kleine ontmoetingsplaats.

Sheikh Saeed Al Maktoum House (➤ 60–61) Dit uit 1896 stammende huis aan de monding van de Creek illustreert de toenmalige lokale bouwtechnieken.

Heritage House (➤ 45) Zie in wat voor weelde Emirati-families woonden in dit gerestaureerde huis in Deira. De functie en decoratie van elke kamer worden uitgelegd.

Hatta Heritage Village (➤ 147) Het dorpsleven wordt gedemonstreerd in dit heropgebouwde bergdorp op een uur rijden van Dubai.

Linksboven: Een traditioneel gebouw
Boven: Het luxueuze hotel Madinat Jumeirah
Onder: Moderne gebouwen domineren de stad

Hotel Babylon

Nergens ter wereld is er zo'n dichte concentratie van weelderige hotels dan in Dubai. Overdadige strandresorts, chique zakenhotels en afgelegen woestijnrestaurants; wat u ook nodig heeft, u vindt het in Dubai. Er worden tientallen nieuwe hotels gebouwd, dus de strijd om gasten is hevig en ontwerpers proberen de heersende trend steeds een stap vóór te blijven. Vele jaren was het zeilvormige Burj Al Arab het meest luxueuze hotel van Dubai. Maar hoewel het aan de buitenkant een technologisch wonder blijft, is het overtrokken interieur nu gedateerd en is het verdrongen door betoverende nieuwe hotels als het Grosvenor House West Marina Beach in het Marina-bouwproject en het Park Hyatt Dubai aan de Creek.

De Vijf Beste Hotels qua Ontwerp

Park Hyatt Dubai – een stedelijke oase in Moorse stijl met gewitte steenblokken en blauwe koepels. Op z'n mooist vanaf Creekside Park

Shangri-La – de conventionele buitenkant bereidt u niet voor op de hoge, moderne foyer van dit hotel aan Sheikh Zayed Road

Emirates Towers Hotel – gevestigd in een van de twee futuristische Emirates Towers aan Sheikh Zayed Road en een belangrijk onderdeel van de skyline van Dubai

Madinat Jumeirah – een complex met twee luxueuze hotels in Arabische stijl

Burj Al Arab – iconisch aan de buitenkant, een bonte hallucinatie vanbinnen

MENSEN

1,3 MILJOEN	bevolking van Dubai (2004)
275.000	bevolking van Dubai (1980)
4,3 MILJOEN	bevolking van de Verenigde Arabische Emiraten (2004)
100.000	jaarlijkse bevolkingsgroei van Dubai
60%	aandeel bevolking Dubai afkomstig uit India of Pakistan
20%	aandeel Emirati's in totale bevolking Dubai
11%	aandeel Britse bezoekers aan Dubai
65%	aandeel vrouwelijke universiteitsstudenten in de Verenigde Arabische Emiraten
250.000	aantal bouwvakkers in Dubai
700 DIRHAM	gemiddeld maandsalaris van een bouwvakker

GELD

8,3%	jaarlijkse werkgelegenheidsgroei van Dubai, de hoogste ter wereld
20%	van de inkomsten van Dubai is uit olie
272,5 MILJOEN DIRHAM	het bedrag dat werd uitgegeven door Britse toeristen met hun creditcards van juni t/m augustus 2005, het hoogste bedrag uitgegeven door een bepaalde nationaliteit
110 MILJARD DIRHAM	bruto binnenlands product van Dubai in 2004
15 MILJOEN	verwacht aantal toeristen dat jaarlijks Dubai bezoekt in 2010
40	aantal nieuwe Airbus A380 superairbussen besteld door Emirates Airline
100 MILJOEN DOLLAR	waarde van huidige ontwikkelingsprojecten in Dubai (2006)

TOERISME

6000 TON	hoeveelheid sneeuw gebruikt in Ski Dubai
50	aantal winkelcentra in Dubai
73	voetbalvelden: oppervlakte van de Mall of the Emirates
800 M	minimale hoogte Burj Dubai-toren
800 MILJOEN DOLLAR	begroting Burj Dubai-toren

ETEN

De Emirati-keuken is vrij mild en weinig restaurants serveren lokale gerechten in Dubai zelf. Maar Arabisch eten, waarvan de basis grotendeels in de Libanese keuken ligt, is smakelijk, makkelijk te krijgen in de restaurants van de stad en is het proberen waard.

Bepaalde smaken zijn typisch voor het Midden-Oosten, zoals rozenwater, gedroogde vruchten (van citroenen tot dadels), peulvruchten zoals kikkererwten en bonen, pistaches, saffraan en koriander. Chili en peper zijn geen gebruikelijke bestanddelen in de keuken van het Midden-Oosten, hoewel Dubai kennismaakte met veel specerijen vanwege zijn ligging aan de oost-westhandelsroutes. Probeer om te proeven van het Midden-Oosten de volgende gerechten.

Falafel – gefrituurde balletjes van geplette kikkererwten en sesamzaadjes
Hummus – geplette kikkererwten, knoflook en sesamzaadjes
Tabbouleh – peterselie, tomaat, munt, ui en bulgur
Fattoush – groente en pitabrood met saus
Shoarma – aan het spit geroosterd, vooral lamsvlees, geserveerd in een pitabroodje
Baba Ghanoush – een dipsaus van gegrilde aubergine met ui, tomaat, groene peper en knoflook
Foul Madamas – tuinbonen, citroen, hummus, olijfolie en knoflook
Muhallabia – een melkdessert geparfumeerd met rozenblaadjes

En als u beslist traditioneel Emirati-eten wilt proeven, bezoek dan het Sheikh Mohammed Centre for Cultural Understanding in Bastakiya (➤ 65), Bur Dubai. Daar worden maaltijden geserveerd aan de op witte kussens liggende bezoeker, waaronder Emirati-gerechten die u zelden in de restaurants in de stad zult proeven.

Een reeks tongstrelende gerechten uit het Midden-Oosten

BUITEN IN DUBAI

Met een drukkende hitte en een luchtvochtigheidsgraad van 90 procent kunt u 's zomers in Dubai maar beter niet buiten zijn. Maar de koelere winter brengt een verrassende reeks buitenactiviteiten naar de stad.

Van oktober tot maart zijn er elke maand grote sportevenementen. Op Nad Al Sheba vinden elk jaar in maart de duurste paardenrennen ter wereld plaats, terwijl er tijdens de wintermaanden wekelijks kamelenraces zijn. Fans van motorsport verwelkomden in 2005 de komst van het Dubai Autodrome, een van de eerste gedeeltes van het bouwproject Dubailand dat openging. Het meest prestigieuze motorevenement van dit moment is de Desert Challenge, een zesdaagse woestijnrally voor motoren, trucks en auto's met vierwielaandrijving. Golf, tennis en rugby zijn ook enorm populaire kijksporten: in maart slaan topgolfers af in de Dubai Desert Classic en in februari staan de tennissers op de baan voor de Dubai Tennis Championships.

Maar het buitenleven in Dubai bestaat niet alleen uit naar sport kijken. De eerste golfbaan van het emiraat werd geopend in 1988 en bracht groene stroken met zich mee de woestijn in, en daarna volgden nog zeven banen.

Er zijn veel avontuurlijkere zaken dan een rondje golf en een adrenalinekick ligt binnen handbereik. Kitesurfen is een snelgroeiende watersport. U kunt ook waterskiën, windsurfen, jetskiën en zeilen langs de kust. De Dubai Marina is het middelpunt van watersporten op Jumeirah, maar veel vakantieresorts aan zee zullen zelf activiteiten verzorgen.

Links: Surfers op Jumeirah Beach
Linksonder: Paardrijden in de woestijn

Rechts: De woestijn verkennen op een duinsafari

In zee kunnen bezoekers ook gaan sportvissen of scubaduiken, en degenen die de Perzische Golf willen verkennen, kunnen een jacht of motorboot met bemanning huren. Scubaduikers krijgen aan de kant van de Indische Oceaan van de Emiraten het meeste onderwaterleven te zien – Fujairah is de toonaangevende duikplek – maar aan de Golfkust van Dubai is duiken naar scheepswrakken de grootste attractie.

Voor sommige enthousiastelingen is de woestijn één groot pretpark en men biedt bezoekers steeds inventievere manieren aan om de duinen op en af te komen. Eén van de nieuwe sporten is sandboarden – een lokale variatie op snowboarden – hoewel sommigen de rit naar de top van de duin spannender vinden. Duinrijden is een enorm populaire weekendactiviteit onder de plaatselijke bewoners: ze gaan de woestijn in met terreinwagens en scheuren daar duinen mee op en af. De meeste operators van buitenactiviteiten bieden een verscheidenheid aan duinsafari's, met meerdaagse tochten met kamelenritjes, bedoeïenenkampen en buikdanseressen. Andere manieren om in de duinen te spelen zijn paardrijden in de woestijn, quads en strandbuggy's.

Om bij terreinwagens te blijven: 'wadi-beuken' is een rit over de droge rivierbeddingen die door de bergketens slingeren.

Voor trektochten gaat u naar de heuvels rond de stad Hatta, aan de grens met Omar, of naar het emiraat Ras Al Khaimah, waar het Hajargebergte zorgt voor ruige routes langs enkele van de hoogste bergen van de Verenigde Arabische Emiraten.

Je zou denken dat er niet veel gelegenheid is om wild te spotten. Maar in het Ras Al Khor Wildlife Sanctuary aan het eind van de Creek (en nu omgeven door wegen en bouwterreinen) brengen meer dan duizend flamingo's de winter door. Een ander natuurbeschermingsgebied, het door particulieren geleide Al Maha, heeft grote populaties oryxen en gazellen.

Onder: De Emirates Golf Club; een sportoase

EVENEMENTEN

De regering van Dubai heeft een groot aantal jaarlijkse evenementen geïntroduceerd, van opvallende sportwedstrijden tot winkelfestivals van een maand. Sportwedstrijden domineren de agenda, maar culturele evenementen lopen langzaam in met de oprichting van film- en jazzfestivals. Islamitische vieringen, zoals de ramadan, worden ook op grote schaal nageleefd in Dubai.

Evenementenagenda

JANUARI

Dubai Shopping Festival Als winkelen voor velen in Dubai een religie is, dan heeft dit maandlange festival van consumentisme de meeste aanhangers. Van midden januari tot midden februari geven winkels in alle winkelcentra tot 80 procent korting, maar de grootste attracties zijn de dagelijkse trekkingen, loterijen en wedstrijden. De prijzen zijn vaak sportwagens of geld; in 2005 bood de Dubai City of Gold elke dag 1 kg goud aan als prijs en 100 kg op de laatste dag voor één gelukkige winnaar. Tijdens het festival is de kans op het vinden van koopjes in de winkelcentra groot. Het Shopping Festival heeft een lange lijst aan begeleidende evenementen waaronder muziekuitvoeringen in openluchtauditoria en kinderactiviteiten. www.mydsf.ae

Dubai Marathon Tijdens de koelste maand in het jaar gaan recreatielopers en wedstrijdlopers de weg op voor de marathon van Dubai. www.dubaimarathon.org

FEBRUARI

Dubai Desert Classic Deze golfwedstrijd is een van de hoogtepunten op de sportagenda van de stad. Hij vindt meestal plaats op de Emirates Golf Club en trekt vele grote namen, met de hulp van een grote geldprijs. Sinds 1989 maakt hij deel uit van de Europese PGA Tour. www.dubaidesertclassic.com

Dubai Tennis Open Het meest gevestigde tennistoernooi van Dubai wordt gehouden op de banen van de Aviation Club. Onder de deelnemers zijn meestal enkele als eerste geplaatste spelers, onder wie in voorgaande jaren Tim Henman en Roger Federer, die serveren voor het prijzengeld van 1 miljoen dollar. Met zijn goedkope kaarten, zachte weer en nabijheid van de tennissterren is het evenement een feest voor tennisfans. www.dubaitennischampionships.com

Dubai International Property Week Op deze expositie worden onroerendgoedinvesteringen van over de hele wereld aangeboden, maar alle hoofdprojectontwikkelaars van Dubai zijn er. Mensen die overwegen onroerend goed te kopen in Dubai maken de reis voor dit evenement. www.dubaipropertyshow.com

Maktoum Sailing Trophy De eerste etappe van de lente-zeilserie vindt plaats bij Mina Seyahi. De rondes gaan door tot in april. Er doen jachten van verschillende klassen mee en het evenement biedt meer kijkgelegenheid dan het

powerboatracen, dat in januari begint.
www.dimc-uae.com

MAART

Dubai International Boat Show Dit is uw kans om de duurste jachten en motorjachten ter wereld van dichtbij te zien. Het is het grootste evenement op dit gebied in het Midden-Oosten en vindt plaats op de Dubai International Marine Club.
www.boatshow.dwtc.com

Dubai International Jazz Festival Artiesten, van solisten tot big bands, worden geboekt voor dit festival van drie avonden (www.dubaijazzfest.com). Er worden op een aantal plaatsen optredens verzorgd, maar voornamelijk in de Media City van Dubai.
www.chilloutproductions.com

Dubai World Cup De Dubai World Cup, het hoogtepunt van de sociale en sportagenda van Dubai, is de duurste paardenrennen ter wereld en trekt de hele Emirati-elite naar de renbaan van Nad Al Sheba. De koers om de World Cup zelf, altijd op een zaterdag, is de climax van het Dubai Racing Carnival, dat in januari begint met wekelijkse koersen. Kaarten voor de World Cup zijn felbegeerd en moeten van tevoren worden gereserveerd.
www.dubairacingclub.com

JUNI

Dubai Summer Surprises Met het succes van het Dubai Shopping Festival in de winter was het slechts een kwestie van tijd voordat men hetzelfde trucje probeerde in de zomer. Het maandlange winkelfestival Summer Surprises heeft de bezoekersaantallen buiten het hoogseizoen opgepept. Net als bij het winterfestival ook hier koopjes te over.
www.mydsf.com

Dubai Traditional Dhow Race De aanblik van tientallen *dhows* met volle zeilen is majestueus. Dit is het hoogtepunt van een serie van zes wedstrijden.
www.dimc-uae.com

SEPTEMBER

Ramadan Winkels passen hun openingstijden aan en restaurants mogen geen alcohol schenken tijdens deze vastenperiode van een maand. De data verschillen per jaar.

OKTOBER

Eid Al Fitr De startdatum van Eid Al Fitr varieert in overeenstemming met het einde van de ramadan. Het driedaagse festival is de levendigste en langste feestdag voor moslims.

NOVEMBER

UAE Desert Challenge De voornaamste off-road race van de Emiraten waarin motoren, auto's en trucks over de duinen razen. Meestal is het een van de etappes in de Rally World Cup.
www.uaedesertchallenge.com

DECEMBER

Dubai International Film Festival In 2005, in zijn tweede jaar, vertoonde het Dubai International Film Festival een aantal internationale films.
www.dubaifilmfest.com

Dubai Rugby Sevens Rugby met teams van zeven spelers is enorm populair onder de Britse, Australische en Zuid-Afrikaanse expats in Dubai en dit is het driedaagse hoogtepunt van hun jaar.
www.dubairugby7s.com

Winkelen tot u erbij neervalt

Handel is altijd al het levensvocht van Dubai geweest en de stad verontschuldigt zich niet voor het verzinnen van steeds verleidelijkere manieren om u afstand te laten doen van uw geld. Geen stad ter wereld heeft de concentratie van winkelcentra die Dubai heeft: er komen er ieder jaar bij, maar u kunt er op dit moment uit circa 50 kiezen.

Een winkelparadijs – maar welke van de 50 winkelcentra van Dubai kiest u?

De modernste winkelcentra – en er zijn er maar weinig ouder dan 15 jaar – hebben een buitengewoon scala aan faciliteiten, amusement en detailhandels. Babyverschoonkamers, indoor lunaparken, bioscopen met meerdere schermen, bagagedepots, geldwisselaars: het is er allemaal. Maar wat voor winkels zitten er in de centra? Bijna alle internationale kledingmerken zijn vertegenwoordigd, van de meest bewonderde ontwerpers tot confectievolgelingen als Top Shop en Zara. Sommige winkelcentra zijn zo groot dat ze een heel warenhuis opslokken, met Saks Fifth Avenue uit de VS en Harvey Nichols uit Groot-Brittannië in verschillende winkelcentra. En, alsof shopaholics nog meer aanmoediging nodig hebben, tijdens twee jaarlijkse winkelfestivals worden prijzen afgebroken met kortingen tot 80 procent. Maar wees gewaarschuwd: buiten deze twee perioden zijn de prijzen niet gegarandeerd lager in Dubai dan elders. Een steekproef op internationale prijzen wees uit dat gewone kleding en zelfs elektronica ruwweg hetzelfde kosten als in Groot-Brittannië en meer dan in de VS. Ja, er is een enorm scala aan winkels, maar koopjes zijn tegenwoordig schaars.

Behalve natuurlijk als u naar de oude souks van Bur Dubai en Deira gaat. Op deze historische straatmarkten kunt u met onderhandelen misschien wel een gunstige prijs krijgen. De belangrijkste souks, de Spice Souk en de Gold Souk, staan aan de Creek aan de kant van Deira. Hier is het echt al goud wat er blinkt. Goud blijft hét artikel waarvoor u in Dubai uitstekend waar krijgt voor uw geld, maar zelfs als u niet geïnteresseerd bent in het kopen van sieraden (geprijsd op gewicht) is het het waard om hier etalages te kijken, gewoon om de winkelpuien te zien glimmen door het edelmetaal. De Spice Souk biedt praktischer geneugten: jute zakken vol kruiden en gedroogd voedsel, vers van de dhows. Een deel van het genieten van de Spice Souk wordt gecreëerd door uzelf een weg te banen door het smalle steegje en de winkeliers te vragen wat er in elke zak zit: u zult mirre vinden, wierook, saffraan en kruiden.

Andere zaken waarvoor u in Dubai waar krijgt voor uw geld zijn o.a. maatpakken en uit Turkije, Pakistan en Iran en geïmporteerde tapijten. Vergelijk de prijzen van elektronica zoals digitale camera's en computers zorgvuldig met die van thuis, maar misschien kunt u wat besparen. Het Dubai Duty Free-winkelgebied op het vliegveld is een van de grootste ter wereld en een goede plek om overgebleven dirhams uit te geven.

De vijf beste winkelcentra

BurJuman Centre
In het BurJuman Centre in Bur Dubai hangen de nieuwste jurken van Chanel en Dior in blitse boetiekjes. Een warenhuis van Saks Fifth Avenue verankert de designerkleding, maar er zijn nog honderden andere kledingzaken.

Deira City Centre
Deze favoriet van de inwoners van Deira heeft populaire, trendy winkels, waaronder Debenhams en een Carrefour-supermarkt. Een nieuwe vleugel, Bin Hendi, geeft designerbrutaliteit aan het winkelcentrum. The Magic Planet, een modern lunapark en amusementsgedeelte, is reden genoeg om bij Deira City Centre binnen te lopen.

Ibn Battuta
Reis door het 14e-eeuwse China, Perzië, India, Egypte, Noord-Afrika en Andalusië terwijl u winkelt; ieder gedeelte heeft een speciaal kenmerk, zoals een levensgrote Chinese jonk in dat van China. Het winkelcentrum heeft ook het eerste IMAX-scherm van Dubai.

Mall of the Emirates
Het grootste en beste winkelcentrum in Dubai. Als u niks van uw gading ziet in de 400 winkels, kunt u naar de bioscoop gaan, de kinderen vermaken in het Magic Planet-amusementsgedeelte of leren skiën – ja, er ligt echte sneeuw en er zijn skihellingen.

Mercato
Achter de gevel van Mercato in Italiaanse-renaissancestijl gaat een kleine maar interessante verzameling winkels schuil, waar onafhankelijke modeboetiekjes gedijen in het interieur in Venetiaanse stijl.

Droom-eilanden

De aankondiging van de aanleg van het eerste Palmeiland in 2001 werd wereldwijd breed uitgemeten in de kranten. Het moedige, innovatieve en ondoenlijk ambitieuze plan zette Dubai op de kaart en signaleerde de bedoelingen van het emiraat.

In 2003 lagen de funderingen van de Jumeirah Palm op hun plek en in 2006 ging het eiland open. Het is via de stam verbonden met het vasteland. Op de stam en de 17 bladen van het eiland komen meer dan 25 resorthotels, drie types woonvilla's, jachthavens, winkelcentra, restaurants en amusementscomplexen. Zo gauw de werkzaamheden aan het Jumeirah-eiland waren begonnen, kondigde de lokale projectontwikkelaar Nakheel aan dat er nog twee Palmeilanden aan de kust van Dubai zouden ontspruiten, aan de oostkant van Deira en de westkant van Jebel Ali – en ze hadden nog andere, even bizarre projecten in de planning.

Hoewel de redenering achter de kunstmatige eilanden simpel is – met een kustlijn die door de natuur begrensd wordt, is de enige manier om gewild onroerend goed aan de strandboulevard te verkopen, die strandboulevard te maken door de aanleg van een eiland in zee – is de uitvoer ervan veel ingewikkelder. Eerst dumpen baggermachines zand op de goede plek onder water. Op de zandomtrek worden stenen geplaatst uit de 16 steengroeven uit de hele VAE; duikers zorgen ervoor dat de stenen goed geplaatst worden. Als al dit vulmateriaal voor één eiland achter elkaar werd gelegd, zou een 2 m hoge en 0,5 m dikke muur de aarde drie keer kunnen omvatten. De kosten van het terugwinnen van land zijn circa 1 miljard dollar per eiland, maar elk eiland voegt 120 km toe aan de kustlijn van Dubai. De resultaten van 50 onderzoeksstudies duiden erop dat de basis stevig blijft.

De buitenste halvemaan van elk eiland is een golfbreker die golven van 4 m hoog kan weerstaan. Binnen de halvemaan liggen ruim 5000 woningen, van strandvilla's tot herenhuizen aan kanalen en appartementen. Maar er zijn al geen huizen meer te koop, dus investeerders zullen naar het volgende project moeten kijken: The World – 300 eilanden in de vorm van verschillende landen.

Boven: Een artistieke impressie van Jebel Ali en de andere Palmeilanden

Je draai vinden

De eerste twee uur

Dubai International Airport (Code: DXB)

- Dubai International Airport (tel: 224 5555; www.dubaiairport.com) ligt aan Garhoud Road aan de kant van de Creek waar Deira ligt, circa 5 km van het stadscentrum. Een nieuwe internationale luchthaven is in aanbouw aan de andere kant van Dubai in Jebel Ali, maar voorlopig is het hooggewaardeerde DIA de hoofdpoort naar de stad.
- De 24-uurs **informatiebalie** van het Department of Tourism and Commerce Marketing in de aankomsthal heeft kaarten, hotelinformatie en beantwoordt vragen (tel: 224 5252; www.dubaitourism.ae).
- De meeste vluchten komen aan bij Terminal 1.
- Er is een informatiebalie voor **bezoekers met speciale behoeften** in de vertrekhal. Aanvragen voor een rolstoel of andere hulp voor aankomende passagiers moeten via uw luchtvaartmaatschappij gedaan worden.
- Van de **douane** mag u 2000 sigaretten, 400 sigaren en 2 kg tabak meenemen naar Dubai. Ook mogen niet-moslims 2 liter wijn of sterkedrank importeren.
- Hoewel dit onopvallend gebeurt, controleren douaniers wel degelijk de aankomsthal. Verboden voorwerpen zijn o.a. alle drugs en 'publicaties, foto's, schilderijen, kaarten, boeken en beeldhouwwerken die geen religieuze moralen aanhangen'. Voorwerpen waarvoor restricties gelden zijn o.a. wapens en munitie, ivoor en parels, levensmiddelen (waaronder varkensvlees, fruit en groenten), alcohol, medische en farmaceutische producten, waaronder sommige medicijnen die legaal zijn in het westen.

Aankomst in Dubai

- Voordat u de aankomsthal verlaat, zitten aan de rechterkant van de hal 12 **autoverhuurbedrijven**, waaronder Avis (tel: 224 5219; www.avis.com) en Hertz (tel: 224 5222; www.hertz.com). U kunt niet meer terug naar dit deel van de aankomsthal als u door de schuifdeuren bent gegaan. Auto's kunnen worden afgehaald op het vliegveld. Als u wegrijdt bij het vliegveld, sla dan rechtsaf naar Dubai (aangegeven als Deira).
- De beste manier om in het centrum van Dubai te komen is een **taxi** te nemen vanaf de standplaats buiten de aankomsthal. Op de ritten vanaf het vliegveld komt een toeslag van 30 Dh (de toeslag voor ritten buiten het vliegveld is 3 Dh), maar alle chauffeurs gebruiken hun meter en de rit naar Deira of Bur Dubai moet in totaal circa 60 Dh kosten. U betaalt meer om naar Jumeirah, het Marina-gebied of verder te gaan. De rit naar Deira duurt circa 10 minuten. Andere rittijden hangen af van de verkeersdrukte en kunnen tot een uur duren.
- Gasten van de grote internationale hotels van Dubai kunnen een **gratis buspendeldienst** of een auto met chauffeur naar het hotel verwachten, maar dit moet van tevoren geregeld worden.
- Er is geen speciale vliegveldpendeldienst naar het stadscentrum, maar **bus** 410 rijdt naar Deira en lijn 402 naar Bur Dubai. Beide bussen rijden 24 uur per dag en vertrekken elk halfuur van het vliegveld (tel: 800 4848; www.dm.gov.ae).

Toegangsprijzen

De toegangsprijzen van musea en andere bezienswaardigheden in deze gids vallen in de volgende prijscategorieën:
Goedkoop 1Dh–5Dh **Gemiddeld** 6Dh–15Dh **Duur** meer dan 16Dh

Vervoer

Oriënteren

- In Dubai kunt u gemakkelijk de weg vinden, aangezien de stad grotendeels in een lint aan één grote snelweg, Sheikh Zayed Road, ligt. De oudere stadsdelen, Bur Dubai en Deira, ieder aan een kant van de Creek, handhaven nauwe, ondoorzichtige wegen met eenrichtingsverkeer. Het vliegveld ligt aan de kant van de Creek waar Deira ligt; om de Creek over te steken moeten bestuurders de Garhoud Bridge gebruiken voor Sheikh Zayed Road, of de Maktoum Bridge voor Bur Dubai.
- **Jumeirah** is de algemene benaming voor het stuk strand tussen Bur Dubai en Jebel Ali, hoewel de buitenwijk Jumeirah zelf maar een kwart van deze kustlijn beslaat. Achter Jumeirah zorgen nieuwe projecten bij Dubai Marina voor een tweede as voor de stad. Landinwaarts neemt Dubailand de woestijn over tussen de jachthaven en Nad Al Sheba.
- Sheikh Zayed Road heeft een aantal **genummerde knooppunten**: Interchange One ligt het dichtste bij Bur Dubai en het stadscentrum en Interchange Five leidt naar Dubai Marina. Vanaf het vliegveld is het circa 45 km over Sheikh Zayed Road naar de Marina.

Bus

- Behalve bouwers nemen weinig mensen de bus van en naar hun werk. De regering hoopt het gebruik van het openbaar vervoer te stimuleren door 400 bushokjes met airco te bouwen.

Taxi

- Er zijn 5000 **geregistreerde taxi's** in Dubai (met karakteristieke uniformen). Vermijd onofficiële taxi's (particuliere auto's zonder meter) want zij zijn niet verzekerd voor passagiers; ze komen steeds minder voor. Voor details over taxibedrijven en het laatste nieuws en stijgingen van ritprijzen: www.dubaitransport.gov.ae.
- Taxichauffeurs gebruiken altijd hun meter, maar sommigen rijden graag een stukje om naar uw bestemming. De **ritprijs** is 1,5 Dh per kilometer plus een toeslag van 3 Dh, behalve als u een taxi van het vliegveld neemt.
- Verzeker u ervan dat de chauffeur weet waar hij heen gaat; sommige chauffeurs zijn nog niet zo lang in het land.
- U kunt voor 600 Dh een **taxi huren voor 12 uur**. Sommige particuliere maar bevoegde chauffeurs kunt u voor een bespreekbare prijs huren voor lange ritten.
- Het rijniveau van veel chauffeurs is angstwekkend slecht. Aarzel niet om de chauffeur te vragen langzamer te gaan of op te letten.
- Het is gebruikelijk **de chauffeur een fooi te geven** door de ritprijs naar boven af te ronden tot de volgende 5 Dh.

Abra

- Abra's zijn de watertaxi's die dag en nacht kris-kras over de Creek varen.
- Langs beide kanten van de Creek ligt een rij officiële ***abra*-stations**, over het algemeen aangegeven met een metalen bord en een grote menigte.
- De *abra*-**ritprijs** is 1 Dh per rit. Een koopje. In plaats van in de file te staan voor een brug over de Creek kan het sneller zijn om een taxi naar een *abra*-station te nemen, de Creek per boot over te steken en aan de andere kant weer in een taxi te stappen.

Metro

- Het project Dubai Metro moet in 2012 voltooid zijn.

Autorijden

Vermijd rijden in Dubai als u geen zelfverzekerde en ervaren bestuurder bent. Veel bestuurders stellen u op de proef.

- **Word niet boos** op andere bestuurders. Elk gebaar zal de situatie zeker laten escaleren. Gebruik liever de claxon.
- Als u een **auto huurt**, kies dan de grootste binnen uw prijsklasse. Met een auto met vierwielaandrijving kunt u ook gebieden bezoeken die ontoegankelijk zijn voor auto's met tweewielaandrijving, zoals de getijdepoelen bij Hatta (➤ 145).
- Alle grote internationale autoverhuurbedrijven hebben een balie op Dubai International Airport. De meeste hebben ook kantoren in de stad waar u de auto op een later tijdstip kunt ophalen.
- Om een auto te kunnen huren heeft u uw rijbewijs nodig, uw paspoort en een creditcard. Inwoners van de meeste Europese landen en de VS hebben geen internationaal rijbewijs nodig.
- Bedrijven verhuren alleen auto's aan bestuurders ouder dan 21 jaar (of 25 voor grotere voertuigen).
- Sluit een volledige all-riskverzekering af. Dit dekt u voor het rijden in de hele VAE, maar om in Oman te rijden moet u een extra verzekeringspolis afsluiten voor circa 350 Dh per week. Niet alle autoverhuurbedrijven staan u toe met een huurauto naar een ander land te rijden.
- Dubai heeft een chronisch fileprobleem. **Vermijd** autorijden tijdens het **spitsuur** (7.30-9.30 en 16.30-19.30), of neem een taxi. De grootste probleemzones zijn de bruggen over Dubai Creek, maar de hele Sheikh Zayed Road komt twee keer per dag tot stilstand.
- Dubai heeft qua verkeersveiligheid een ontzettende slechte staat van dienst; elke maand vallen er gemiddeld 18 doden. De politie heeft een campagne gelanceerd en kan mensen bekeuren voor te hard rijden en andere overtredingen zoals afremmen om naar een ongeval te kijken. De website, www.dubaipolice.gov.ae, houdt overtredingen bij.
- Bestuurder en passagiers zijn wettelijk verplicht **veiligheidsgordels te dragen**.
- **Rijd rechts in Dubai.** De **maximumsnelheid** ligt tussen de 60 km/u en 120 km/u.
- **Pechdiensten** bestrijken Dubai: probeer de AAA (Arabian Automobile Association; www.aaauae.com) of IATC Recovery (International Automobile Touring Club; www.iatcuae.com).
- Als u betrokken raakt bij een auto-ongeval, moet u op de plaats van het ongeval bij het voertuig blijven en de politie bellen (tel: 999). Als het slechts een heel kleine aanrijding is, moet u de auto uit de weg duwen, in alle andere gevallen blijft u staan.
- De politie heeft een zero-tolerancebeleid voor rijden met een slok op. De gangbare straf is een gevangenisstraf.
- Betaalde parkeerplaatsen en parkeermeters komen steeds meer voor in Bur Dubai en Deira. De prijzen zijn laag, maar zorg altijd voor een voorraadje muntgeld. Bekeuringen voor illegaal parkeren zijn 100-200 Dh. Parkeren bij winkelcentra en andere attracties is meestal gratis.
- Brandstof is goedkoop. Tank vol vóór een lange rit.

Lopen

Dubai is geen voetgangersvriendelijke stad. Bezienswaardigheden liggen niet vaak op loopafstand van elkaar en het klimaat is niet gunstig. Als u van maart tot november toch buiten loopt, draag dan een zonnehoed om een zonnesteek te voorkomen en neem water mee. In Bur Dubai en Deira is het echter mogelijk om rond te lopen in de oude stadsdelen (➤ 148-150).

Verblijf

Dubai is een van de weinige plekken ter wereld die het waard is te bezoeken simpelweg om in de hotels te logeren. Vele zijn een attractie op zichzelf. De keus aan hotels in de stad is afgesteld op het bovenste deel van de markt, met een groot deel luxueuze gebouwen waar de normen ongelofelijk hoog liggen. De prijzen worden elk jaar hoger, maar dat heeft de bezoekers niet afgeschrikt. In december 2005 was de bezetting van een gemiddeld strandhotel 96 procent. Dit ondanks een stijging van 43 procent in de gemiddelde dagprijs van een kamer tussen september 2004 en september 2005. Dit betekent dat u voor de pieken rond Kerstmis en het Dubai Shopping Festival van tevoren moet boeken.

- De **prijzen van het laagseizoen** (mei–okt.) kruipen naar bijna hetzelfde niveau als die van het hoogseizoen. In veel andere hotels geldt het hele jaar één prijs, maar voor verblijf in de zomer loont het de moeite om speciale aanbiedingen te zoeken, zoals een gratis nacht.
- De markt lijkt niet beïnvloed te worden door angsten dat Dubai te veel dure hotels heeft: er worden nog veel meer luxueuze hotels gebouwd.
- De **hotelkamers** in de tophotels, de meeste dus, zijn enorm **goed ingericht**. Hightechfaciliteiten, zoals draadloos internet en flatscreen-tv's, zijn gewoon.
- Kraanwater kan veilig gedronken worden, maar veel hotels bieden gratis flessen drinkwater aan.
- Alle hotels hebben een website waarop u kunt reserveren. Afhankelijk van de bezetting kunnen er kortingen gegeven worden als u ernaar vraagt.
- Vakanties die via een reisagent zijn geboekt hebben meestal logies in middenklasse- tot betere hotels.
- **Zakenreizigers** gebruiken meestal de hotels aan Sheikh Zayed Road, maar al deze hotels hebben ook uitgebreide vrijetijdsfaciliteiten.
- De **voordeligste hotels** staan in Bur Dubai en Deira. Zeer voordelige hotels staan vaak in de ongezonde delen van de stad en worden afgeraden.
- De **meest felbegeerde resorthotels** zijn die aan het strand. Maar internationale ketens zoals Sheraton en Le Meridien staan hun gasten in een stadshotel vaak toe gebruik te maken van de strandfaciliteiten van een zusterhotel.
- Dubai's **luxueuze hotels zijn het middelpunt van de sociale en amusementsscene** van de stad om de simpele reden dat alleen in hun bars, nachtclubs en restaurants alcohol geschonken mag worden.
- Als u **alleen reist** moet u er vanuit gaan dat een acceptabele kamer vanaf 600 Dh per nacht kost. In voordeligere hotels kan dit 200-300 Dh zijn, maar het loont om meer uit te geven als dat mogelijk is. De duurste hotelkamers kunnen meer dan 10.000 Dh per nacht kosten.
- Een **fooi** van een paar dirham wordt gewaardeerd door het **hotelpersoneel voor roomservice**, het dragen van bagage en dergelijke.
- Het Department of Tourism and Commerce Marketing van Dubai beoordeelt alle hotels in de stad en geeft ze een cijfer. Daarnaast heeft het een online hotelreserveringsservice (www.dubaitourism.ae) voor Deira, Bur Dubai, Jumeirah en Hatta.
- **Hotelappartementen** kunnen voor gezinnen een voordeliger alternatief zijn voor hotelkamers. Deze zijn vooral te vinden in de oudere delen van de stad, zoals Deira en Bur Dubai, en bieden meestal een suite met een keuken en woonkamer, met de mogelijkheid tot het zelf verzorgen van maaltijden.
- Er is een **jeugdherberg** in Deira, maar andere voordelige opties zoals pensions, motels en bed-and-breakfasts zijn er niet in de stad.

Eten en drinken

Dubai heeft restaurants van wereldklasse die alle denkbare kookstijlen van over de hele wereld serveren. De meeste van de beste restaurants zitten in de luxueuze hotels, maar er zijn verscheidene interessante etablissementen buiten de hotels die Arabisch eten serveren (➤ 17 voor meer over de Arabische keuken).

- **Hotelgasten krijgen voorrang bij populaire restaurants**. Als u niet in het hotel verblijft, reserveer dan vooraf bij het restaurant.
- Merk op dat de restaurantscene van Dubai zeer actief in beweging is; restaurants sluiten vaak voor een opknapbeurt en er gaan regelmatig nieuwe etablissementen open. De eters van Dubai zijn altijd op jacht naar de laatste nieuwigheid wat kan betekenen dat sommige restaurants ten onrechte leeg zijn terwijl de smaakmaker helemaal is volgeboekt.
- **Alcohol** wordt alleen geschonken in de restaurants en bars van hotels. Wijnkaarten zijn aanvankelijk vaak indrukwekkend, maar de nadruk ligt vaak op beroemde producenten in plaats van kleinere, onbekendere wijnmakerijen.
- Tijdens de ramadan (➤ 21) schenken de meeste restaurants geen alcohol. U mag wel alcohol drinken op uw hotelkamer.
- Er is een hevige concurrentie tussen alle hotelrestaurants en vele doen speciale aanbiedingen die van een goede maaltijd een koopje kunnen maken. Zoek naar aanbiedingen in hotelnieuwsbrieven, plaatselijke uitagenda's en kranten of op hotelwebsites.
- Bars hebben vaak een **'happy hour'** met aanzienlijk verlaagde prijzen.
- Voor **voordelig uit eten gaan**, gaat u naar de straten van Deira en Bur Dubai waar talrijke eethuisjes, kraampjes en restaurants smakelijke gerechten uit de Arabische en Indiase keuken bieden.
- De **kledingcodes zijn relatief ongedwongen** in de restaurants van Dubai: slechts een handjevol verzoekt zijn klanten een colbert te dragen. Maar ga niet naar een binnenrestaurant in strandkleding.
- De meeste hotelrestaurants serveren tot relatief laat op de avond: meestal kunt u bestellen tot 23.30 uur.
- De meeste restaurants nemen een bedieningstoeslag van 10-15 procent op in uw rekening. Ga dit na voordat u een fooi geeft.
- U hoeft niet altijd in hotels te eten. In Bur Dubai (➤ 55-78) kunt u goed op jacht naar een enorm scala aan voordelige, zelfstandige restaurants, vooral als u van Indiaas eten houdt.
- Omdat donderdag en vrijdag in Dubai het equivalent van het weekend is, bieden veel hotelrestaurants en cafés op vrijdag een buffetbrunch aan, meestal vanaf 12.00 uur. Onder de all-inclusive-prijzen (meestal 150-350 Dh) valt soms ook onbeperkt drinken.
- Meestal is een **gemeentebelasting van 10 procent** inbegrepen in de prijs van het menu, maar lees de kleine lettertjes voordat u bestelt.
- In alle restaurants en bars wordt **water** verkocht, maar let op het aanzienlijke verschil in prijs van lokale merken flessenwater en geïmporteerde merken en geef als u bestelt aan welke u wil.

De vijf beste brunches

Legends Steakhouse op de Dubai Creek Golf Club: voor het uitzicht (➤ 50)
Spendido in het Ritz-Carlton – voor het eten (➤ 130)
Double Decker in het Al Murooj Rotana – voor de prijs (➤ 99)
Mina A'Salam in Mina A'Salam – voor de overdaad (➤ 127)
Spectrum on One in het Fairmont – voor de champagne (➤ 101)

Winkelen

De winkelcentra van Dubai zijn voor velen de hoofdreden om de stad te bezoeken. Hun omvang is ongetwijfeld verbazingwekkend en de verscheidenheid aan winkels binnen in de besten ervan is ongeëvenaard. Maar het vinden van koopjes in Dubai, buiten de halfjaarlijkse uitverkopen, is voorbij. De prijzen zijn opgekropen tot internationale niveaus. Er is slechts één artikel dat aanzienlijk goedkoper is in Dubai: goud.

- Er zijn bijna 50 winkelcentra in Dubai en er worden steeds weelderigere bijgebouwd. Op dit moment is de Mall of the Emirates de grootste met 400 winkels en 65 restaurants, maar het zal bijna zeker gauw verdrongen worden.
- De **grotere winkelcentra** hebben amusement en kinderopvang voor het winkelpubliek, en ook talrijke restaurants en eethuisjes (zonder drankvergunning). Plattegronden zijn verkrijgbaar bij informatiepunten.
- De **openingstijden** zijn gewoonlijk zaterdag-donderdag, 10.00-22.00 uur, op vrijdag gaan de winkels pas open om 14.00 of 15.00 uur. Als u niet van menigten houdt, ga dan niet winkelen op donderdag. De vrijdagavond kan ook druk zijn.
- **Creditcards** worden veel geaccepteerd, vooral door winkels in winkelcentra. Thomas Cook opende in 2005 een **wisselkantoor** in het Ibn Battuta-winkelcentrum en heeft ook kantoren aan Sheikh Zayed Road en in Bur Dubai, Deira, het Dubai World Trade Centre en op het vliegveld waar u reischeques kunt inwisselen tegen een betere koers dan in de hotels (tel: 800 4145; www.alrostamaniexchange.com).
- Niet alleen internationale modeontwerpers hebben vestigingen in Dubai. Marks & Spencer, Debenhams, IKEA, Carrefour en Harvey Nichols hebben grote winkels in de stad.
- Op de souks komt u het dichtste bij een **traditionele Arabische detailhandelervaring**. De goud- en specerijensouks in Deira liggen op de toeristische route, maar u kunt er goede zaken doen. Goud is een van de laatste koopjes in Dubai; de prijs wordt bepaald door het gewicht van het artikel in plaats van het ontwerp.
- In de oude stadssouks wordt verwacht dat u **afdingt**. Van de eerste prijs van de handelaar kan meestal de helft af, maar vergeet niet dat het er om gaat plezier te hebben, dus houd het pingelen luchthartig.
- In het oude Dubai kunt u in verscheidene buurten goedkope, zo niet vervalste, artikelen vinden. Karama in Bur Dubai is een grote openluchtmarkt waar u bijna alles kunt kopen, meestal tegen een gunstige prijs. Al Fahidi Street, ook in Bur Dubai, is het middelpunt van de elektronicahandel.
- Vanwege het succes van het jaarlijkse Shopping Festival (➤ 20), waar dagelijks overdadige prijzen worden weggegeven zoals sportwagens, is een zomerwinkelfestival opgezet: Dubai Summer Surprises. Tijdens de festivals is er meestal korting op de kleinhandelsprijzen, maar de loterijen en wedstrijden trekken net zoveel mensenmassa's.
- **Artikelen terugbrengen** naar winkels is minder duidelijk dan elders. Winkels geven niet altijd geld terug, zelfs niet voor ondeugdelijke waar, hoewel ruilen makkelijker is. Bewaar altijd het bonnetje en lees het geld-terug- en ruilbeleid voordat u iets koopt.
- Dubai Duty Free op het vliegveld van Dubai is een van de grootste taxfree-gebieden ter wereld: er worden 65.000 verschillende producten verkocht. U kunt er winkelen voordat u vertrekt.
- ➤ 22-23 voor meer informatie over de beste winkelcentra van de stad.

Amusement

Er zijn veel fabeltjes over wat wel en niet kan in Dubai. Over het algemeen is het emiraat een heel ongedwongen plek, waar men het westerse toeristen graag naar de zin maakt. Maar de VAE is een islamitisch land en dat betekent dat er bepaalde beperkingen gelden.

- **Arabisch is de officiële taal** van de VAE, maar **er wordt zeer veel Engels gesproken**. De meeste grote hotels hebben personeel dat meerdere talen spreekt.
- **Gokken is verboden**; om dit te omzeilen kunt u de winnaar van een paardenkoers op Nad Al Sheba voorspellen en een prijs winnen als u het goed heeft.
- Films, liedjes, televisie, tijdschriften, kranten en andere media zijn **gecensureerd**. Naakt, seksscènes en religieuze thema's worden meestal weggesneden uit films op televisie en in de bioscoop.
- De enige **internetleverancier** van Dubai is Etisalat. Deze censureert wat de surfers kunnen zien. Er zijn veel eethuisjes waar u kunt internetten, soms gratis in filialen van de Coffee Bean & Tea Leaf.
- De twee **lokale kranten** zijn het Gulf News en de Khaleej Times. Beide passen zelfcensuur toe. Er zijn talrijke uit-agenda's, verkrijgbaar in hotelfoyers, winkelcentra, kiosken en boekenwinkels. Twee andere Engelstalige kranten zijn de Gulf Today en het Emirates News.
- Bars en nachtclubs moeten stipt om 03.00 uur sluiten. Doorgaans mogen alleen bars, restaurants en nachtclubs in hotels alcohol schenken. Het is moeilijk, maar niet onmogelijk, om alcohol te kopen buiten een hotel of restaurant. Twee slijterijen mogen wijn, bier en sterkedrank verkopen: African and Eastern (A&E) en Maritime and Mercantile International (MMI). Zij hebben filialen in Bur Dubai, Deira, Kamara, Mall of the Emirates en het Ibn Battuta-winkelcentrum, maar gegadigden moeten een vergunning van 150 Dh aanvragen en voor vakantiegangers loont het de moeite niet.
- Op veel plekken in Dubai is het dinsdagavond Ladies Night (andere etablissementen hebben soortgelijke avonden op maandag en woensdag). Vaak zijn de drankjes in bars en clubs de hele avond gratis voor vrouwen. Het weekend verschilt in Dubai afhankelijk van waar men werkt, maar donderdagavond wordt gevolgd door een vrije dag, dus dan gaan de meeste mensen uit.
- Er wordt laat gedineerd, nog later gedronken en men gaat pas naar een nachtclub om 01.00 uur. En er zijn volop taxi's om de feestvierders naderhand naar huis te brengen.
- Er zijn altijd drie of vier **superclubs** in Dubai en verscheidene kleine tot middelgrote etablissementen. Er zijn circa 50 bars. De entree is meestal gratis, tenzij er een grote live muziekact of dj is geboekt.
- U kunt op verscheidene plekken in Dubai naar **livemuziek** luisteren, hoewel er in de zomer door de hitte weinig buitenoptredens gegeven worden. Dans en toneel zitten in het beginstadium met slechts één schouwburg in de stad in Madinat Jumeirah, waar toneelstukken, komedie en andere uitvoerende kunsten worden opgevoerd. Maar hier komt vast verandering in met de ontwikkeling van Dubailand (➤ 123-124).
- Bioscopen zijn, wellicht omdat ze soms airco hebben, geliefd voor een avondje uit. Er zijn megabioscopen in de hele stad, en twee IMAX-schermen. De films zijn doorgaans de laatste Hollywoodkost, met zo nu en dan een Bollywoodproductie.

Delhi

Even oriënteren

Deira vormt de punt van een sterk ontwikkelde, vaak verstopte en altijd bruisende stad die uitsteekt richting de monding van Dubai Creek. De Creek vormt één kant van Deira. De andere kant is een mengelmoes van kantoren en woongebouwen die zich langs de kustweg uitstrekt naar Al Mamzar Beach Park en de grens met het emiraat Sharjah.

★Niet missen

1. **Palm Deira ➤ 38**
2. **De Souks ➤ 39**
3. **Dubai Creek ➤ 42**

Op uw gemak

4. Heritage House ➤ 45
5. Al-Ahmadiya School ➤ 46
6. Al Mamzar Beach Park ➤ 46

Pagina 33: Goud te koop op de Gold Souk
Links: Traditionele potten in het Heritage House

Hierachter ligt stedelijk Durbai op zijn drukst. Het gebied wordt in tweeën gesneden door de hoofdweg naar Sharjah. Dit is de oudste en meest jachtige hoek van de stad Dubai. Het kan even opwekkend als frustrerend zijn, maar er zijn veel verbazingwekkende bezienswaardigheden. Het interessantste gebied voor bezoekers is de driehoek van de Maktoum Bridge tot de kustweg. Aan de dhowkaden worden de traditionele schepen gelost, sommige van hun goederen worden later verkocht op de souks van Deira. Verderop langs de Creek worden de beste plaatsen aan de waterkant ingenomen door een reeks vijfsterrenhotels. De souks van Deira zijn een lust voor de zintuigen: specerijen, fruit en vis en de warme pracht van goud. Het Heritage House en de Al-Ahmadiya School bieden inzicht in hoe de Emirati's leefden in de tijden vóór de terreinwagen en satelliettelevisie. In zee neemt een voorbeeld van hoever Dubai het in 50 jaar heeft geschopt vorm aan: uit de kust van Al Hamriya Port wordt een enorm Palmeiland aangelegd. In 2009 zal het kunstmatige eiland groter zijn dan Parijs.

Boven: Lokale mannen kopen zijden kleding op de Textile Souk
Rechtsboven: Complex houtsnijwerk in het Heritage House
Links: Een lokale handelaar vervoert zijn goederen

Begin bij de Dubai Golf and Yacht Club, maak een tochtje met een *abra*, bezoek het Heritage House en de souks en besluit de dag met een dinner cruise op een dhow.

Deira in een dag

9:30 uur

Begin de dag bij de **Dubai Golf and Yacht Club** (➤ 54). De jachtclub ligt aan de nabijgelegen kant van het Park Hyatt-hotel, de golfclub aan de andere kant. Ontbijt op het terras van het Boardwalk-restaurant (➤ 49) op de jachtclub terwijl het zonlicht weerkaatst op het water en *abra's* het vaarwater oversteken.

10:30 uur

Golfers zullen een rondje op de baan van de club – kampioenschapsniveau, par-71 – niet kunnen weerstaan. Een alternatief is om een boot te huren op de Yacht Club voor een tochtje op de Creek. Tijdens een tocht van drie uur komt u in de Perzische Golf tot het Burj Al Arab-hotel en terug via het in zee gelegen bouwproject The World.

13:30 uur

Ga weer aan land om te lunchen. Vivaldi (➤ 50), een Italiaans restaurant in het Sheraton Dubai Creek-hotel, even verder langs de Creek richting het centrum van Deira, is goed voor een lichte lunch. Ga, als het er koel genoeg voor is, onder de luifel op het terras zitten.

15:30 uur

Neem een taxi naar het 4 **Heritage House** (➤ 45) aan de andere kant van Deira. Van alle erfgoedprojecten in de stad krijgt u hier wellicht de beste beschrijving van het traditionele huishouden in het emiraat voordat het oliegeld binnenstroomde.

17:00 uur

U kunt van het Heritage House naar de 2 **Gold Souk** (➤ 39-40) wandelen om etalages te bekijken in de namiddag: ga rechtsaf het huis uit en ga naar het hart van Deira. Het is nu koel genoeg om buiten te zijn, en het kruispunt in het midden van de Gold Souk vult zich met werkenden, toeristen en winkelpubliek. Dit is een van de beste plaatsen ter wereld om goud te kopen. Neem de tijd om de smalle steegjes te verkennen die van de hoofdwegen van de souk lopen: hier vindt u veel aparte winkels. Ga naar de **Spice Souk** door de wijk Al Buteen in te gaan en linksaf te slaan naar de Creek. Neem dan een taxi stroomopwaarts langs de Creek (of wandel) naar het Intercontinental Hotel voor 19.45 uur.

20:00 uur

De **Al Mansour Dhow** (➤ 49) is niet te missen: de boot is omlijnd met lichtjes. Hij vertrekt iedere avond voor een rustige cruise over de Creek, begeleid door Arabische muziek en een buffet. De 3 **Creek** (➤ 42-44) is 's avonds veel mooier, met in de verte de glinsterende skyline van Sheikh Zayed Road en werk-dhows die uitvaren naar Noord-Afrikaanse havens.

Palm Deira

Van de drie Palmeilanden die worden aangelegd voor de kust van Dubai zal de jongste en grootste worden vastgemaakt aan de kustweg langs de strandboulevard van Deira. De bouw werd aangekondigd in oktober 2004 en het eiland zal voltooid worden in 2009, daarmee 400 km toevoegend aan de kust van Dubai. Doordat Palm Deira dicht bij de oude stad van Dubai ligt, zal het een grote aanwinst zijn voor de toeristenattracties van Deira.

Boven: Eenmaal voltooid zal Palm Deira groter zijn dan Manhattan

De halvemaan die de Palm tegen de open zee beschermt, zal met een lengte van 21 km 's werelds grootste golfbreker zijn, het 8,5 km brede eiland zal 14 km de Golf in liggen en er zal 1 miljard kubieke meter steen en zand nodig zijn voor de fundering ervan, die tot 22 m onder de zeespiegel reikt. Op de 41 palmbladen worden 8000 huizen gebouwd, met de bijkomende jachthavens, winkelcentra, sportfaciliteiten, hotels en restaurants. Langs de bladen komen particuliere en openbare stranden, met 150 m en 400 m zee tussen elk blad. De gehele Palm zal met een oppervlakte van 80 km² groter zijn dan Manhattan en vergelijkbaar met Groot Londen.

Hoewel de kustweg van Deira op zich niet de visuele aantrekkelijkheid heeft van een wandeling langs de Creek, flaneren hier 's avonds in het weekend toch veel plaatselijke inwoners van Dubai. De Shindagha-vismarkt, op een parkeerterrein dicht bij het Hyatt Regency-hotel, is dagelijks geopend van 07.00-23.00 uur. Een museum op het marktplein geeft uitleg over het zeevaarderserfgoed van Dubai en geeft toelichting over enkele van de 300 vissoorten die in de omliggende zeeën worden gevangen.

---

171 E4
Kustweg Deira

2 De Souks

Voor het winkelpubliek zijn de straatmarkten van Deira een schatkamer van sieraden, kleding en exotische specerijen. De souks zijn een van de weinige plaatsen in Dubai waar u nog koopjes kunt vinden – vooral als u goud koopt. Maar ze verklaren ook het ontstaan van Dubai als een internationale handelspost.

De souks van Dubai zijn een en al bedrijvigheid

De **Gold Souk**, diep in het hart van de oude stad van Deira, is een raamwerk van straten met rijen winkels die gouden sieraden verkopen. Tenzij u op Fort Knox werkt, zult u waarschijnlijk nooit meer zoveel goud op één plek bij elkaar zien: dat feit leidt mensen vanuit de hele wereld ertoe hier te komen winkelen. Volgens lokale experts is goud het enige artikel dat aanzienlijk goedkoper blijft in Dubai dan elders, en daarom zijn de grenzen van de Gold Souk aangegeven met bogen waarop staat: 'Dubai, City of Gold'. Het meeste goud is van de lichte, pure 24-karaats-variëteit. Men zegt dat als al het goud ter wereld gezuiverd zou worden tot 24-karaats zuiverheid, het in een blok van 5,4 m^2 zou passen: als dat klopt, moet veel ervan in deze straten te koop zijn. Als u niet van het oranje/gele 24-karaats goud houdt, kunt u ook artikelen van 18-, 21- en 22-karaats vinden. Als geen van de armbanden, kettingen, oorbellen, ringen of broches u aanspreekt, kan een vakman een sieraad naar uw ontwerp maken. Sommige van de beste souvenirs zijn kleine artikelen, zoals gouden dasspelden of geldclips. Goudhandelaren hoeven hun prijzen niet te verlagen, dus verwacht niet veel korting te krijgen behalve tijdens het Shopping Festival in januari.

Vlak bij de hoofdader van de Gold Souk verkopen enkele winkels interessante antieke zilveren artikelen uit Oman, die zeer gewild zijn. Naast de Gold Souk is een kleinere **Textile Souk**, waar u alles kunt vinden van sandalen à la Sinbad, sari's en pashmina's tot shisha's en andere souvenirs. Op de Textile Souk brengt afdingen wat op. In alle straten van de souk pro-

Onder: Koopjesjagers hebben ruime keus op de Gold Souk

beren handelaren uw aandacht te trekken met legitieme en niet-zo-legitieme deals: oplichters zijn niet opdringeriger dan een gemompeld 'Pardon meneer, namaakhorloge?'. Maar als u interesse toont in de prijs van een sieraad of kledingstuk is dat het teken voor een vasthoudend verkooppraatje.

Naast het Old Souk Abra Station, aan Old Baladiya Road, bezet de **Spice Souk** een steeg langs de randweg in de wijk Al Ras. U kunt zien waarom de souks bloeiden in de smalle steegjes van Deira: aan de ene kant kropen dhows de Creek op en losten hun lading aan de kade naast de souks. Schepen met specerijen en andere goederen die onderweg waren uit India legden aan in Dubai en sommige goederen werden verhandeld aan de waterkant. Er zijn niet alleen specerijen; er zijn ook zakken wierook, kamillethee, rozenblaadjes, gedroogde pepers en citroenen. Handig is dat er achter de Spice Souk een tweede steeg ligt waar

Afdingen in vijf gemakkelijke stappen

- Laat aanvankelijk niet blijken dat u geïnteresseerd bent in het artikel dat u wilt. Vraag eerst naar iets anders, sla het af. Vraag dan, alsof het dan pas bij u opkomt, naar het artikel dat u echt wilt.
- De verkoper biedt een prijs. Kijk verbaasd. Haal de helft of meer van die prijs af. Vraag of hij akkoord gaat. Hij zal het afslaan.
- Indien mogelijk zegt u dat u er twee neemt voor een lagere prijs dan voor één wordt gevraagd. Anders verhoogt u uw bod met zo'n 10 procent en zegt dat dit het hoogste bedrag is dat u ervoor kunt betalen.
- Blijf beleefd, maar blijf bij uw prijs. Waarschijnlijk zal de verkoper zijn prijs naar de uwe verlagen omdat hij nog steeds winst zal maken.
- De laatste tactiek is een uiterst redmiddel, maar meestal werkt dit. Zeg dat u gaat kijken wat andere winkels bieden en dat u terugkomt als zijn prijs de beste is.

Boven: Tapijten en kleedjes te koop

u goedkoop keukengerei kunt kopen, waaronder Indiase *karahi*-pannen en terrines. De beste koopjes op de Spice Souk zijn vanillepeulen en saffraan. Saffraan wordt verkocht in verschillende kwaliteiten, van de goedkoopste (de gele uiteinden van de krokus, in rode kleurstof gedoopt, alleen om eten te kleuren) tot de beste (de van nature rode topjes van de meeldraden, het beste voor kleur en smaak). Voor 10 g van de beste saffraan betaalt u tot 20 Dh, of circa 15 Dh voor 10 g hele bloemen. Om de Spice Souk te bereiken, gaat u bij de moskee van Al Buteen aan 12th Street linksaf; blijf doorlopen.

Onder: Lokale handelaars met hun dagelijkse bezigheden

170 B3
Dagelijks 9.00-13.00, 16.00-22.00 uur

3 Dubai Creek

Het verhaal van de Creek is het verhaal van hoe Dubai zich ontwikkelde van een woestijnhandelspost tot de moderne stad van tegenwoordig. Beide kanten van Dubai bestaan nog steeds bij de Creek: u kunt het verleden en de toekomst van Dubai zien op een korte wandeling langs de oever.

Boven: Dhows op Dubai Creek

Halverwege de 19e eeuw verhuisde de familie Maktoum van Abu Dhabi naar een dorpje bij een inham: Dubai. Ze vestigden zich aan beide kanten van de Creek, wat van hoofdbelang zou zijn voor hun toekomst. Langzaam bloeide Dubai en de groei strekte zich landinwaarts uit langs beide kanten van de Creek: daarom staat het eerste vijfsterrenhotel van Dubai op de oever van de Creek en ligt het vliegveld van Dubai, aangelegd in 1960, verder landinwaarts. In 1820 sloot de heerser van Dubai, Mohammed bin Hazza, een overeenkomst met de Britten, van wie de marine langs de Arabische kustlijn op piraten had gejaagd. In ruil voor meegaandheid zou de Britse marine toezien op de belangen van Dubai op zee, waardoor Dubai onbelemmerd kon profiteren van zaken en handel. De parelvisserij, gevestigd aan de Creek, bracht geld naar de haven en Dubai kwam bekend te staan als een plek waar niet-Arabische immigranten welkom waren: aan de kant van de Creek van Bur Dubai legden Iraanse handelaars Bastakiya (► 64-65) aan. Mensen uit India en Arabië kwamen naar Dubai voor zaken en de souks in Deira bloeiden, hoewel parels in die tijd het enige exportproduct waren.

Maar toen Abu Dhabi olie aanboorde, nam de stad pas echt een hoge vlucht. In 1959 liet sjeik Rashid bin Saeed Al Maktoum de Creek uitbaggeren. Het kostte hem 850.000 dollar, maar het was het geld waard omdat hij Abu Dhabi nu kon laten betalen om zijn diepe haven te gebruiken om al het zware industriële materieel te importeren dat nodig was voor het boren naar olie. Dubai was al een vrijhaven, de import- en exporttarieven werden vroeg in de 20e eeuw verlaagd en andere bedrijven deden hun voordeel met de gunstige belastingen. Het uiteindelijke resultaat? Een snelle ontwikkeling van de economie van Dubai.

Andere factoren droegen bij tijdens de jaren zestig en zeventig – de ontdekking van de eigen oliebron van Dubai in 1966 en de oprichting van de Verenigde Arabische Emiraten in 1971 – maar zonder de Creek zou Dubai er nu heel anders uitzien.

U hoeft niet veel moeite te doen om te zien hoe het leven bij de Creek er decennia geleden uitzag. Aan de dhow-kaden tussen de Maktoum Bridge en het Sheraton Dubai Creek-hotel meren dhows aan om te overnachten, worden ze hersteld en tanken ze

Rechts: Als u de Creek oversteekt in een *abra* kunt u de oude en nieuwe bouwstijlen goed naast elkaar zien staan

ABRA NO.
139

bij voor de volgende etappe van hun reis. Een dinnercruise op een van de toeristische dhows verzorgd door het Intercontinental-hotel voert u tot bij de kaden en daar kunt u zien hoe zeelui zich klaarmaken voor de nacht terwijl u zich tegoed doet aan het buffet. En vanaf het Intercontinental naar de monding van de inham liggen in de Creek aan de kant van Deira rijen boten die van alles lossen, van groenten tot televisies: ondanks de onroerendgoed-deals die elders in wolkenkrabbers gesloten worden, is dit echt een haven waar gewerkt wordt.

Helemaal bevoorraad voor de reis door de Perzische Golf

Hoe verder u van de monding van de Creek af vaart, hoe minder ontwikkeld de oever wordt, totdat u onder Maktoum Bridge door vaart en de Creek breder wordt. Aan de kant van Deira heeft de Dubai Creek Golf and Yacht Club een nieuwe jachthaven met ruimte voor 300 jachten. Het Creekside Park op de andere oever is het mooiste park van Dubai. U passeert deze twee groene gebieden en gaat onder Garhoud Bridge door. Nu buigt de Creek naar rechts en verbreedt zich tot de Ras Al Khor-lagune, een toevluchtsoord voor flamingo's en andere trekvogels. Hier eindigt de Creek in een wildreservaat dat steeds meer omgeven wordt door de uitdijende stad waar de Creek zelf aanzet toe gaf.

Een overtocht met een *abra* is een essentiële Dubai-ervaring. Deze smalle bootjes varen heen en weer over de Creek van station naar station en vanaf de bootjes kunt u zowel de hoge glazen torens van het moderne Dubai zien als de windtorens en minaretten van de oude stad. Per jaar worden er 20 miljoen passagiersvaarten verricht door *abra's* en het is de snelste en prettigste manier om de Creek over te steken. De drie alternatieve methodes om de Creek over te steken zijn er onderdoor gaan in de voetgangerstunnel van Shindagha en eroverheen met de Maktoum- of Garhoud-brug, die beide geblokkeerd zijn tijdens de spits. Er is dus geen excuus om het water niet op te gaan en de Creek per boot te ontdekken.

Goederen bestemd voor de souks worden gelost van dhows en andere vaartuigen langs de Creek

170 B3

Op uw gemak

4 Heritage House

Het Heritage House is een van de uitvoerigste en duidelijkste reconstructies van een traditioneel huis in Dubai. Het werd in 1890 gebouwd door Mattar bin Saeed bin Muzaaina en in 1994 door de gemeente Dubai gerestaureerd. De expositie geeft kamer na kamer uitleg over het leven van alledag in een typisch huis van een Emirati-gezin tussen 1890 en 1950. De *majlis* of woonkamer is het hart van een Emirati-huis. In deze kamer worden gasten ontvangen, en omdat de gastvrije Arabische gezinnen zowel vrienden als vreemdelingen verwelkomden, ligt de *majlis* meestal apart van de woonvertrekken van het huis.

Vrouwen hadden ook hun eigen *majlis*: een tentoonstelling in het Heritage House laat zien hoe de vrouwen in het huishouden naaiden, Arabische koffie zetten en henna aanbrachten. Mannen mogen niet in de *majlis* van de vrouwen komen. Net als in de hoofd-*majlis* is de vloer van de vrouwen-*majlis* bedekt met Perzische tapijten. De grote woonkamer, de Al Makhzan, is de plaats waar de gezinnen elkaar ontmoeten en samen eten en praten. Pasgetrouwde stellen hadden echter de privacy van de bruidskamer, Al Hijla. Bij elke tentoonstelling in het Heritage House wordt uitgelegd waarvoor elk voorwerp in het huis gebruikt werd en het museum is het meest informatieve van Dubai. U komt er door de weg te nemen die achter Al Khor Road loopt en er parallel aan loopt, dicht bij de kustweg van Deira.

170 B4 · 28 Sikka Street · 226 0286 · Za-do 8-19.30, vr 14.30-19.30 · Gratis

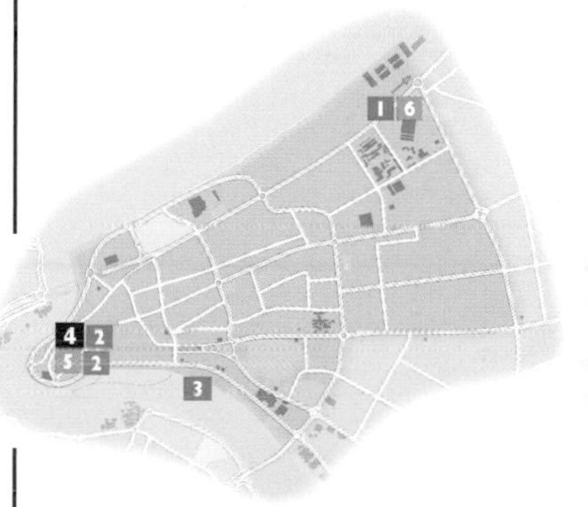

Het traditionele gezinsleven van Emirati's wordt tot leven gebracht in het gerestaureerde Heritage House

Rechts: Op Al-Ahmadiya werden o.a. de islamitische wet en de spreuken van de profeet Mohammed onderwezen

5 Al-Ahmadiya School

U vindt de Al-Ahmadiya School in de steeg naast het Heritage House. De school werd gebouwd in 1912 voor de kinderen van de heersende klassen van Dubai, en in 1920 werd een bovenverdieping toegevoegd. In 1922 werd extra ruimte gemaakt voor leerlingen toen sjeik Abdul Rahman bin Hafidahh en docenten van de Zubair School in Irak gingen lesgeven in de islamitische wet, de koran en de spreuken van de profeet Mohammed; de leerlingen zaten om hun docent heen op matjes. In 1963 was het aantal leerlingen het gebouw ontgroeid door de introductie van Engels en natuurwetenschappen in het onderwijsprogramma, en de school verhuisde. Het Al-Ahmadiya-gebouw werd later gerestaureerd met traditionele materialen zoals gips, koraal, schelpen, stenen en sandelhout.

170 B4 Naast het Heritage House (➤ 45) 393 7151 Za-do 8-19.30, vr 14.30-19.30; tijdens ramadan za-do 9-16.30, vr 14-16.30 Gratis

6 Al Mamzar Beach Park

In een zeer verstedelijkt gebied is het 90 ha grote Al Mamzar Beach Park een aangename open ruimte met vier stranden en verscheidene groene stroken land, zomerhuisjes, picknickgebieden en kinderspeelplaatsen. De aanleg van de Deira Palm (➤ 38) zal de populariteit van het park ongetwijfeld beïnvloeden, maar kijken naar de aanlegwerkzaamheden kan ook interessant zijn. Beide zwembaden hebben badmeesters en omkleedfaciliteiten en ook op de stranden zijn er kleedhokjes. Voor bezoekers die in Deira verblijven, is Al Mamzar een betere optie om buiten te ontspannen dan het verkeer over de Creek te trotseren om naar het Creekside Park (➤ 68) of het Zabeel Park (➤ 88-89) te gaan. U vindt Al Mamzar voorbij Al Hamriya Port; neem een taxi.

171 bij F3 Bij de Al Hamriyahaven Dagelijks 8-23 uur, wo alleen vrouwen Duur

Waar... Verblijven

Prijzen
Voor een tweepersoonskamer per nacht
€ 150Dh–600Dh €€ 600Dh–1500Dh €€€ 1500Dh–10.000Dh

Coral Deira €€

Coral International is een inlandse Emirati hotelgroep, wat dit kleine vijfsterrenhotel vrij uitzonderlijk maakt in Dubai. De faciliteiten staan op één lijn met die van de grote hotels en de sfeer is warm en uitnodigend. De kamers zijn comfortabel en onder de faciliteiten vallen sauna's, een zwembad op het dak en een fitnessruimte. Omdat het hotel door moslims wordt geleid, is er geen alcohol verkrijgbaar, hoewel dit geen afbreuk doet aan het buffet bij Al Nafoorah. Gasten hebben gratis vervoer naar en toegang tot het strand van het zusterresort in Sharjah.

171 D1 Al Muraqqabat Street
224 8587; www.coral-international.com

Al Bustan Rotana €€

Hoewel het hotel populair is bij zakenreizigers vanwege de nabijheid van het vliegveld, biedt het indrukwekkende Al Bustan genoeg vertier om ook vakantiegangers aan te trekken. Er is een bovengemiddelde verzameling restaurants, de enige nachtclub aan deze kant van de Creek (➤ 52) en gezondheids- en fitnessfaciliteiten. De kamers neigen met een enigszins kalmerende stijl en faciliteiten als snel internet meer naar het zakengilde, maar u ziet ook veel vakantiegangers in de zon liggen aan het zwembad.

Buiten de kaart Casablanca Road, Garhoud 282 0000; www.rotana.com

Dubai Youth Hostel €

De enige jeugdherberg van Dubai ligt aan die kant van het vliegveld waar Sharjah ligt en heeft dus geen bijzonder gunstige ligging. Hier staat tegenover dat u, als u lid bent van de Youth Hostels Association (YHA), een schone kamer heeft voor een uitstekende prijs.

In een oud gedeelte in de herberg zijn slaapzalen een rendabele keus voor reizigers die voordelig willen overnachten, terwijl er in een nieuwe vleugel grote, schone gezinsslaapkamers zijn met tv en douche. Onder de algemene faciliteiten vallen een fitnessruimte, zwembad en tennisbanen.

Als u de bezienswaardigheden van Deira en Bur Budai wilt bekijken en zich Sharjah in wilt wagen, is het Dubai Youth Hostel het geld zeker waard en veel beter dan een hotel met vergelijkbare prijzen. Maar zodra u steeds met de taxi naar Jumeirah gaat, ontdekt u wellicht dat u meer uitgeeft dan u bespaart.

170 A4 39 Al Nahda Road, Al Qusais 298 8161

Hilton Dubai Creek €€€

Het Hilton Dubai Creek, een chique hotel in de binnenstad, is de droom van elke modernist, ontworpen door de befaamde architect Carlos Ott. Via een in glas en chroom gevatte foyer gaat u naar het restaurant Verre (➤ 50) op de eerste verdieping. De slaapkamers zijn even opwindend, met opvallende zwart-witte badkamers, en met slechts 154 kamers is de service persoonlijk. Onder de faciliteiten vallen zwembaden, een fitnessruimte en oppasservice.

170 C2 Baniyas Road
227 1111; www.hilton.com

Hyatt Regency €€–€€€

Dit hotel dateert uit 1980, toen het een van de eerste internationale hotels in Deira was. Het Hyatt ligt op een prima locatie voor winkeluitstapjes naar de Gold Souk. Andere voordelen zijn verscheidene goede restaurants, waaronder het Italiaanse eethuis Focaccia (➤ 49) en het enige draaiende restaurant van de stad. Elk van de 414 kamers en suites heeft satelliettelevisie en een internetaansluiting.

Er komen meer zakelijke gasten dan vakantiegangers, maar laat u zich daar niet door afschrikken want door recreatie-opties als een kunstijsbaan in het Galleria-winkelcentrum van het hotel en een midgetgolfbaan is het ook geschikt voor gezinnen. Er zijn prachtige uitzichten, maar bedenk dat dit een zeer dichtbebouwd gebied is en dat het dichtstbijzijnde strand in het Al Mamzar Beach Park ligt.

171 D4 · The Corniche · 209 1234; www.dubai.regency.hyatt.com

Intercontinental €€

Het Intercontinental was het eerste vijfsterrenhotel van Dubai en vierde in 2005 zijn 30e verjaardag. De leeftijd is aan de kamers af te zien, maar dat is niet verwonderlijk na onderdak te hebben geboden aan 630 filmsterren, 1500 musici en 1230 ambassadeurs. De hotels van Dubai hebben zich verder ontwikkeld en de relatief kleine badkamers van het Intercontinental zijn niet meer opgewassen tegen de concurrentie. Het hotel profiteert echter wel van een prima ligging aan de Creek en ligt dicht bij de bezienswaardigheden en restaurants van Deira. Daarom lijkt het hotel meer vakantiegangers aan te trekken dan andere hotels in Deira. Onder de faciliteiten zijn een zwembad op het dak en een fitnessruimte.

170 C2 · Baniyas Road · 222 7171; www.dubai.intercontinental.com

JW Marriott €€

Het Marriott, dicht bij het Hamarain-winkelcentrum, ligt door twee grote wegen enigszins geïsoleerd van de bezienswaardigheden van Deira aan de Creek, maar is handig voor zakenreizigers.Vakantiegangers kunnen echter profiteren van de dagelijkse buspendeldienst naar het strand. Andere voordelen zijn een verscheidenheid aan restaurants, een fitnesscenter en een zwembad. De 351 kamers en suites zijn luxueus ingericht.

171 D1 · Abu Baker Al Siddique Road · 262 4444; www.marriott.com

Park Hyatt Dubai €€€

Het eerste Park Hyatt in het Midden-Oosten is populair bij trendgevoeligen. Met zijn modernistische Marokkaanse thema van witte muren, blauwe koepels en verborgen binnenhofjes is het zeker een van de beste hotels van de stad. De kamers zijn al even indrukwekkend: het nieuwste is een badkamer met een op zichzelf staand bad en een aparte open natte hoek naar de slaapkamer. De inrichting is minimalistisch maar luxueus. Sommige kamers op de begane grond hebben hun eigen tuin, en balkons op de hogere verdiepingen kijken uit op de Creek. Het Park Hyatt is het enige specifieke vakantiehotel aan deze kant van de Creek.

172 C2 · Dubai Creek Golf and Yacht Club · 602 1234; www.dubai.park.hyatt.com

Sheraton Dubai Creek €€€

Het imposante Sheraton Dubai Creek is in 2002 gerenoveerd om het hotel te moderniseren. Hoewel de ontwerpers de blauwdruk voor luxe hotels in Dubai hebben gevolgd door alles in marmer te hullen, is dit een mooie plek, met een ruime verscheidenheid aan restaurants met vrij uitzicht op de Creek. De meeste kamers hebben ook uitzicht op de Creek, alsmede eersteklas zakelijke diensten, een stereo-installatie en videorecorder (video's kunnen worden geleend in de gastenlounge). Een gratis buspendeldienst verbindt het Sheraton Dubai Creek met zijn zusterhotel in Jumeirah, waar gasten gebruik kunnen maken van het strand. De bus zet ook gasten af bij het Deira City Centre-winkelcentrum (▶ 51).

170 C2 · Baniyas Road · 228 1111; www.sheraton.com/dubai

Sheraton Deira $$

Het Sheraton Deira is een goedkoper alternatief voor het Dubai Creek-hotel. Het ligt midden in Deira en is dus wat gehoriger en wat minder gunstig om bezienswaardigheden buiten Deira te bekijken, maar het is geliefd bij zakenmensen en bezoekers uit Azië.

171 E2 · Al Matina Street · 268 8888; www.sheraton.com/deira

Waar...
Eten en drinken

Prijzen
Per persoon per driegangenmaaltijd, exclusief drank en bediening
€ minder can 60Dh €€ 60Dh–100Dh €€€ meer dan 100Dh

Blue Elephant €€
De Thaise restaurants van Blue Elephant zijn over de hele wereld geliefd om hun heerlijke, goedgeprijsde Thaise eten en de vestiging in Dubai, in dit grote hotel, houdt die reputatie uitstekend hoog. De inrichting is fijn afgewerkt, met een waterval en donkere houten meubilair. U loopt over een brug boven een vijver met karpers naar uw tafel. Onder de voorgerechten zijn heerlijke Thaise viskoekjes met zoetzure komkommersaus. Op het menu staan de meest geliefde Thaise hoofdgerechten, waaronder een goed beoordeelde groene curry. Hoewel de Blue Elephant bij het vliegveld, en dus wat afgelegen, ligt, is het als u in de buurt bent zeker een bezoekje waard.

Buiten de kaart **Al Bustan Rotana Hotel, Casablanca Road, Garhoud** **282 0000; www.blueelephant.com** **Dagelijks 12-15, 19-23.30**

The Boardwalk €–€€
The Boardwalk serveert ontbijt, lunch en diner in een idyllische omgeving aan de Creek. Het eten is met wisselend succes, maar de locatie op zichzelf trekt lokale bewoners en informeel geklede bezoekers. In de winter kunt u buiten op het houten plankier, met uitzicht op de jachtclub in de vorm van een schip, compleet met mast en patrijspoorten, motorboten en *abra's* langs zien puffen. 's Avonds komt The Boardwalk tot leven. Op het menu staat typisch multinationaal café-eten, wat kan tegenvallen. Voorgerechten als 'buffalo chicken-wings' zijn altijd goed, en kies de eenvoudigste hoofdgerechten. Om het middelmatige eten te compenseren is er een grote verscheidenheid bieren en cocktails, en natuurlijk het uitzicht.

172 C2 **Dubai Creek Yacht Club** **295 6000** **Dagelijks 8-24**

Century Village €€
Century Village is een groot restaurantencomplex in de openlucht achter de Aviation Club en het tennisstadion in Garhoud.
U kunt kiezen uit zo'n twaalf restaurants, waar u overal buiten kunt zitten en men een verscheidenheid aan kookstijlen biedt. Veel restaurants hebben aanbiedingen. De Gama (tel: 282 3636) heropende in 2006 na een opknapbeurt, maar serveert nog steeds een curieuze mix van Portugees eten, met af en toe een Mexicaans gerecht ertussen. De gebakken vis is een goede keuze.
La Vigna (tel: 282 0030) is een luxueus Italiaans restaurant.

Buiten de kaart
Bij het tennisstadion, Garhoud

Focaccia €€
Focaccia is een restaurant in rustieke stijl in het chique Hyatt Regency-hotel met het beste Italiaanse eten van de stad. De gerechten zijn niet opzichtig maar voedzaam, smakelijk en goed geprijsd.

171 D4 **Hyatt Regency Hotel, The Corniche** **317 2222**
Dagelijks lunch, 7-23.30, do 19.30-24

Al Mansour Dhow €€€
Een dinner cruise op een dhow is een aangename manier om de Creek 's avonds te zien, als de stad aan beide kanten verlicht is. De grote Al Mansour dhow, geleid door het Intercontinental-hotel, is de beste optie, met een buffet benedendeks en prachtige uitkijkpunten vanaf het

bovendek. Het eten komt op de tweede plaats na de uitzichten vanaf de fonkelende dhow.

De tocht over de Creek duurt circa twee uur en voert u naar de dhowkaden en de monding van de Creek. Op de boot wordt Arabische muziek afgespeeld om de sfeer te verhogen. De dhow heeft een drankvergunning en schenkt wijn. Per persoon 300-440 Dh.

170 C2 ✉ Intercontinental hotel, Baniyas Road ☎ 205 7333 Dagelijks 20, vertrek tegenover het hotel

Legends Steakhouse €€€

Het is steaks wat de klok slaat in dit verfijnde steakhouse met uitzicht op de golfbaan en de Creek. Het kledingvoorschrift is verzorgd, maar het zal geen probleem zijn als u rechtstreeks van de boot komt. Onder de voorgerechten zijn gebakken ganzenleverpastei of een zachte kreeftenroomsoep. Als dat uw cholesterolniveau niet té hoog heeft opgejaagd: de steaks zijn er in twee formaten en komen uit de VS en Nieuw-Zeeland.

172 C2 ✉ Dubai Creek Golf Club ☎ 295 6000 Dagelijks 19-23

Shabestan €€–€€€

Dit uitstekende Iraanse restaurant serveert heerlijk geurig brood, kebab, kipgerechten en andere Perzische klassiekers. Langzaam gekookt lamsvlees met rijst, dille en tuinbonen is geliefd bij vaste klanten. Live muziek draagt bij aan de belevenis. Het interieur met kunst, antiek en traditionele Arabische overwelfde doorgangen is een overdadige benadering van het paleis van de sultan.

170 C2 ✉ Intercontinental hotel, Baniyas Road ☎ 205 7333 Dagelijks 12.30-15.15, 19.30-23.15

Traiteur €€€

De plek in Dubai waar het bereiden van eten het meest op theater lijkt, is bij Traiteur, het haut-cuisine restaurant in het Park Hyatt. Het twee verdiepingen tellende restaurant is een torenhoog, opvallend vertrek met uitzicht op de Creek. Het middelpunt van het vertrek is echter de grote open keuken waar negen chef-koks alle moderne Europese gerechten bereiden.

Het is een geweldig gezicht als de chef-koks werken in wat een kleurige lichtshow lijkt te zijn, maar steeds in de maat blijven. Het eten is voortreffelijk en de wijnkaart uitgebreid. Een sommelier haalt de fles uit wat niet zozeer een wijnkelder als wel een wijnpilaar is, uit een aangrenzend vertrek.

172 C2 ✉ Park Hyatt Dubai ☎ 602 1234; www.dubai.park.hyatt.com Dagelijks 12.30-15.30, 19-24

Verre €€€

Verre was Gordon Ramsay's eerste overzeese onderneming en hij heeft er het volste vertrouwen in dat de restaurantscene van Dubai die van New York of Londen zal evenaren. Maar voorlopig is Verre, op de eerste verdieping van het Hilton, een van de aantrekkelijkste plaatsen om te dineren in de stad.

De interieurontwerper heeft op veilig gespeeld met een ingetogen opzet van glazen panelen en sfeerverlichting. Het menu, samengesteld door Ramsay's protegé James Whitelock, is een momentopname van hedendaags Europees eten, met gerechten als gekaramelliseerde speklapjes met puree van knolselderij en gebakken sint-jakobsschelpen. Het voortreffelijke eten is het geld waard; voor de wijnkaart zult u flink in de buidel moeten tasten.

170 C2 ✉ Hilton Dubai Creek ☎ 227 1111 Zo-vr 19-24

Vivaldi €€–€€€

Als u een restaurant zoekt op een toplocatie aan de Creek waar u de hele dag door kunt dineren dan is dit chique Italiaanse restaurant een aanrader. Een verhoogd terras ligt in de schaduw van een luifel, maar het uitzicht is even goed vanuit de eetzaal met glazen wanden.

170 C2 ✉ Sheraton Dubai Creek, Baniyas Road ☎ 228 1111 Dagelijks 6.30-1.30

Waar... Winkelen

Deira City Centre

Deira City Centre, het al lang bestaande, populaire winkelcentrum van Dubai, houdt zich goed in de concurrentiestrijd aan de Creek. Met een nieuwe aanbouw, Bin Hindi, is de in marmer gehulde opzichtigheid van Wadi City toegevoegd. Voordat u Bin Hendi bereikt, lokt een bioscoop met 11 schermen u wellicht naar binnen met de nieuwste Hollywoodfilms. Aan de andere kant van het winkelcentrum – en het is een eind lopen – zal Magic Planet, het kindergedeelte, de jongere gezinsleden in verrukking brengen. Ertussen ligt een zeer diverse verzameling winkels. Met de grootste omvang domineert Carrefour het midden van de begane grond terwijl een warenhuis van Debenhams, met de hele collectie huisartikelen op voorraad, op de tweede verdieping zit. Anders dan in de meeste winkelcentra zitten winkels van een bepaald type bij elkaar in Deira City Centre, zodat u elektronicawinkels vindt op de begane grond bij de informatiebalie en het miniwinkelcentrum Arabian Treasures op de tweede verdieping in het westelijke deel. Hier worden kasjmieren sjaals, Perzische tapijten en Arabisch antiek verkocht. De rest van de winkels is een uitgebalanceerde mix van grote merken en designboetiekjes. Onder de winkels op de begane grond zijn Mothercare, Woolworths, Next, United Colors of Benetton, Zara, Diesel, The Body Shop, Nine West en The Watch House. Het MAC-filiaal is het grootste van Dubai en heeft een enorme keus aan make-up. Op de tweede verdieping vindt u o.a. Banana Republic, Gap, Karen Millen, Top Shop, Old Navy en Adidas. Aantrekkelijk aan de winkelcentra van Dubai is dat zij toonaangevende winkels van over de hele wereld aan lijken te trekken, zodat er winkels zijn voor het grote publiek uit de VS, Groot-Brittannië, Italië en Japan. Modeliefhebsters moeten de bordjes volgen naar Bin Hendi, de nieuwe twee verdiepingen tellende uitbouw van het winkelcentrum. Naast merken als Hugo Boss en G-Star kunnen sommige namen onbekend klinken: Braccialini verkoopt eigenzinnige handtassen, Ungaro Fever heeft fleurige damesmode en Phat Farm verkoopt een hiphop-merk in een winkel die is ingericht met zebraprints, een kroonluchter en sierlijke spiegels. U kunt de spectaculaire diamanten bij Graff bekijken vanuit een gemakkelijke leren leunstoel in een gelambriseerde pracht en praal. In The Noodle House in Bin Hendi kunt u goed een hapje eten: er wordt een verscheidenheid aan noedelgerechten, soepen en voorgerechten geserveerd aan schragentafels.

Ga lichtbepakt op weg en maak gebruik van het bagagedepot op de tweede verdieping bij Debenhams waar u uw tassen kunt achterlaten in plaats van ze de hele dag te dragen. Tijdens het weekend kan het moeilijk zijn een parkeerplaats te vinden; u kunt beter de taxi nemen.

170 bij C1 · Bij het knooppunt van de Al Garhoud Bridge Road · 295 1010; ww.deiracitycentre.com · Za-di 10-22, wo-vr 10-24

Al Futtaim Centre

In dit winkelcomplex, halverwege deze brede hoofdweg, zit een enorme Toys "R" Us en het eerste warenhuis van Marks & Spencer in Dubai. Toys "R" Us heeft alles, van fietsen en dvd's tot poppen en kleren. De Marks & Spencer-winkel heeft dezelfde collectie als de Britse winkels, waaronder de hal met etenswaren.

171 D1 · Al Muraqqabat Road · 222 5859 · Za-do 10-22, vr 16-22

Al Ghurair City

Al Ghurair ligt in een straat parallel aan het Al Futtaim-winkelcentrum. Het is het oudste winkelcentrum van Dubai (20 jaar), maar is met een opknapbeurt in 2003 gemoderniseerd. Plaatselijke bewoners bezoeken Al Ghurair als een minder druk alternatief voor het Deira City Centre en omdat er een aantal nuttige winkels zit, waaronder een Spinneys-supermarkt. Andere winkelcentra zijn wellicht aantrekkelijker voor vakantiegangers.

170 C2 ✉ Al Rigga Road ☎ 222 5222

IKEA in Festival City

De grootste IKEA-vestiging van de VAE opende in november 2005 haar deuren in dit nieuwbouwproject. Festival City, momenteel in aanbouw en naar verwachting voltooid in 2015, is een kolossale 'stad-in-een-stad' aan de Creek voorbij de Garhoud Airport Road. Er komen hotels in, winkelcentra, recreatiecentra en werkplekken; een van de eerste attracties die openging was het warenhuis IKEA. Het voorziet in een enorme ruimte midden in Festival City, waar u de kenmerkende goedgeprijsde huishoudspullen kunt kopen in de Zweedse winkel. In 2005 zal het IKEA-filiaal omgeven zijn door 450 winkels en 12.000 parkeerplaatsen. Het streven is om het centrum van Dubai nieuw leven in te blazen, maar gelukkig wordt er bij Ras Al Khor een nieuwe brug over de Creek gebouwd om de bereikbaarheid van het terrein te verbeteren.

Buiten de kaart ✉ Dubai Festival City ☎ 203 7555; www.ikeadubai.com ⌚ Za-vr 10-22

De souks

De souks van Deira moeten eigenlijk op het lijstje staan van iedereen die Dubai bezoekt, al was het maar omdat ze een levendige herinnering zijn van hoe Dubai eruitzag vóór de komst van de winkelcentra met airco. Aan de Creek werden goederen gelost van dhows en verkocht in het aangrenzende web van smalle straatjes en steegjes. Tegenwoordig is de Spice Souk een geurig maar druk straatje met kleine winkeltjes, elk met zakken specerijen en exotisch voedsel voor de deur. Verder weg van de Creek, midden in de souks van Deira, ligt de Gold Souk. Naast de Gold Souk is een kleine Textile Souk, waar u sandalen, kleding en andere souvenirs kunt kopen.

170 B3 ⌚ Za-do 10-22, vr 16-22

Waar... Ontspannen

BARS

The Irish Village

Als u eenmaal van de verbazing van het vinden van een stukje Dublin in Dubai bekomen bent, geniet u dan van een glas Guinness op het terras, dat in de wintermaanden vol zit met een mengelmoes aan expats. Binnen is het rokerig, maar buiten kunt u genieten van de door de ontwerpers van de pub gecreëerde illusie van de nagemaakte Ierse winkelpuien en een Ierse telefooncel. The Irish Village ligt naast een veel groter complex van bars en restaurants dat Century Village (➤ 49-50) heet.

Buiten de kaart ✉ Dubai Tennis Stadium, 31st Street ☎ 282 4750 ⌚ Vr-di 11-1.15, wo-do 11-2.15

Oxygen

Deze middelgrote nachtclub, de enige aan de kant van de Creek waar Deira ligt, houdt zich schuil onder het opzichtige Al Bustan-hotel. De muziek is gevarieerd: beroemde dj's wisselen elkaar af, meestal wordt er house en R&B gedraaid. Oxygen kan een leuke afsluiter zijn van een avond in het nabijgelegen Irish Village-complex. Maandag is het Ladies Night, met drankjes voor 2 Dh.

Buiten de kaart ✉ Al Bustan Rotana hotel, Garhoud ☎ 282 0000; www.rotana.com ⌚ Dagelijks 19-3

QD's

In de winter kunt u bij deze hippe bar aan de Creek heerlijk buiten zitten en de zon onder zien gaan over de skyline van Dubai aan de andere kant van de Creek. Op het terras kabbelt de Creek aan uw voeten, terwijl de obers barhapjes zoals aardappelschijfjes of geroosterde saté serveren. De cocktailkaart is het plunderen waard en u kunt ook shisha (gearomatiseerde tabak) roken.

172 C2 ✉ Dubai Creek Yacht Club
☎ 295 6000 ⊙ Dagelijks 18-2

The Terrace

Stolichnaya, Absolut, Smirnoff, Ketel 1, Wybrowa, Grey Goose en Belvedere: dit zijn maar een paar van de wodka's die geschonken worden in deze superieure bar aan de Creek in het Park Hyatt-hotel (➤ 48). U kunt eten bestellen tot middernacht zoals hamburgers met kaas (Emmental, Cheddar of Provolone) en rode kool (60 Dh): een klasse beter dan de typische barhapjes. Vlij u buiten in de kussens en bekijk de zonsondergang.

172 C2 ✉ Park Hyatt Dubai
☎ 317 2222; ww.dubai.park.hyatt.com
⊙ Dagelijks 12-1

KUUROORDEN

Amara

Het unieke voordeel van Amara is dat er geen gemeenschappelijke ruimtes zijn. U hebt uw behandelruimte voor uzelf en u wordt er ook in verkleed. Elke kamer heeft een eigen tuin met een verfrissende regendouche. Het kuuroord is ook in het trotse bezit van een 25 m zwembad en duokamers voor als u met een partner van uw behandeling wilt genieten. Neem de gelegenheid te baat om de prachtige binnenhofjes in Marokkaanse stijl van het hotel te ver-kennen – het luxueuze interieur is net zo mooi. Het kuuroord, dat in 2005 zijn deuren opende, blijkt geliefd bij golfweduwen en topmodellen.

172 C2 ✉ Park Hyatt Dubai
☎ 602 1234; ww.dubai.park.hyatt.com
⊙ Dagelijks 9-22

Paris Gallery Day Spa

Omdat het gevestigd is in Deira City Centre heeft Paris Gallery Day Spa dan misschien niet het exclusieve milieu van Amara, maar het is een geweldige plek om binnen te wippen na een vermoeiende dag geld uitgeven. Met haar- en gezichtsbehandelingen, make-up en pedicures krijgt u van top tot teen een opknapbeurt. Dit kuuroord is alleen voor vrouwen.

170 bij C1 ✉ Deira City Centre
☎ 294 4000; www.uae-parisgallery.com ⊙ Dagelijks 10-22

BIOSCOOP

Cinestar

Een totaal van 11 schermen lokt het winkelpubliek deze bedrieglijk grote bioscoop in op de tweede verdieping van het winkelcentrum voordat u de nieuwe Bin Hendi-aanbouw in gaat. De films zijn de gebruikelijke Hollywoodkost.

170 bij C1 ✉ Deira City Centre
☎ 294 9000; ww.deiracitycentre.com

ACTIVITEITEN

Aerogulf Services

Bekijk Dubai in vogelvlucht met een helikoptertochtje over de stad. Het is niet de goedkoopste manier om de stad te bekijken, maar u krijgt een ongeëvenaard overzicht van de manier waarop die zich om de Creek heen en daarna langs Sheikh Zayed Road heeft ontwikkeld. De helikopter kan vier passagiers meenemen. Prijzen variëren van 780-1470 Dh, afhankelijk van het aantal passagiers.

Buiten de kaart ✉ Dubai International Services; Garhoud Road
☎ 220 0331;
www.aerogulfservices.com

Aviation Club

Deze tennisclub heeft acht banen (met kunstgras) en biedt lessen aan met professionele leraren. De Aviation Club biedt onderdak aan verscheidene grote tennistoernooien in Dubai en heeft een stadion met 5000 zitplaatsen. Privélessen vanaf 130 Dh.

172 C1 ✉ The Tennis Stadium, Garhoud ☎ 282 4540;
www.cftennis.com

Balloon Adventures Dubai

Dubai bekijken vanuit een heteluchtballon is een ontspannen alternatief voor een helikopter (zie blz. 53). In elk van de twee grote ballonnen van Balloon Adventures kunnen 40 mensen en ze kunnen geboekt worden voor groepen of individuele vluchten (750 Dh per persoon). De vluchten vertrekken op tijd voor de zonsopgang.

171 D2 Bij Claridge Hotel, Deira 273 8585; www.ballooning.ae Dagelijks okt-mei

Dubai Creek Golf and Yacht Club

De Dubai Creek Golf and Yacht Club, liggend aan de Creek tussen de Maktoum- en de Garhoudbrug, is meer dan een prachtig staaltje architectuur (➤ 12). De Yacht Club heeft een grote jachthaven waar bezoekers zonder eigen boot een van de viermotorige motorjachten van de Club kunnen huren. De 9,5 m lange *Sneakaway* is een speciaal, voor toernooien uitgerust sportvisvaartuig waarmee zes personen de Golf op kunnen varen om te vissen op tonijn, koningsvis, barracuda en zeilvis. Gerei, aas, brandstof, drankjes en de onverdeelde aandacht van de bemanning zijn inbegrepen. De *Princess* V42 Sports Boat is geschikter om de Creek en de Golf mee te bevaren, maar kan ook gehuurd worden voor sportvisexcursies. Een cruise die zes tot acht uur duurt, voert u naar het Jumeirah Palmeiland en het nieuwbouwproject Marina, langs het Burj Al Arab en de bouwterreinen in zee.

De Dubai Golf Club zelf, aan de andere kant van het Park Hyatt-hotel, heeft een negenholesbaan ontworpen door Thomas Bjorn. De par-71 kampioenschapsbaan is toegankelijk voor niet-leden die hun voorgiftcertificaat hebben meegebracht. PGA-professionals kunnen beginners de nuances van het golfen bijbrengen, terwijl ervaren golfers kunnen oefenen op de verlichte driving range. Golf: bezoekers do-za 525 Dh, zo-wo 425 Dh voor 18 holes (prijzen hoogseizoen). Vissen: 7-18; 4 uur 2550 Dh, 8 uur 3550 Dh. Varen: 7-18; min. cruise van 2 uur 1955 Dh of 13.900 Dh voor een hele dag.

172 C2 Aan de Creek, tussen de Maktoum- en de Garhoudbrug 295 6000; www.dubaigolf.com

Emirates Motor Sports Federation

De EMSF organiseert door het jaar heen een groot aantal motorsportevenementen in de Emiraten, van woestijnrally's tot oldtimershows. Fans van motorsport kunnen de evenementenkalender bekijken om te zien wat wanneer plaatsvindt.

171 C1 Bij de Aviation Club, Garhoud 282 7111; www.emsf.ae

Magic Planet

Het futuristische lunapark boven in en aan de rechterkant van Deira City Centre is zo kleurrijk dat het gewoon psychedelisch is. Er is geen scherpe hoek te bekennen en het geheel doet aan alsof u in een lavalamp zit. Maar ondanks de vormgeving maakt Magic Planet zijn beloften waar. Het heeft een buitengewoon scala aan attracties en spelletjes, waaronder twee racesimulators en de Robo Coaster, een attractie bestuurd door een reuzenrobotarm. Jongere klantjes kunnen op de Flying Tigers en de Jumping Star spelen terwijl de oudere kinderen vastgesnoerd kunnen worden in de wildste attractie, de Equinox. Aan de rechterkant van de liften die omhooggaan naar Magic Planet staan zes pooltafels en een wedstrijdsnookertafel. Aan de linkerkant daagt een 9 m hoge klimwand ouders en kinderen uit. Cosmic Bowling is een toepasselijke naam voor het over drie niveaus opgesplitste bowlingcentrum met 12 banen en neonverlichting.

Draaimolens, reuzenraderen, piratenschepen en botsauto's zoeven rond en dragen bij aan de mallemolen van levendigheid. Magic Planet heeft verscheidene fastfoodverkooppunten, waaronder een filiaal van de Johnny Rockets burgerbar en TGI Fridays.

170 bij C1 Winkelcentrum Deira City Centre 295 1010; www.deiracitycentre.com Vr-wo 10-24, do 10-1 Dagpas vanaf 50 Dh, per attractie 8-25 Dh

Bur Dubai

Even oriënteren

Aan de andere kant van de Creek van Deira ligt de andere helft van het oude stadscentrum van Dubai: Bur Dubai. Het stadsdeel ontwikkelde zich aanvankelijk rond de haven en de monding van de Creek, en daarom zijn er hier verscheidene erfgoedlocaties bij elkaar in de buurt: het Sheikh Saeed Al Maktoum House, het Heritage and Diving Village, Bastakiya en het Dubai Museum in het Al Fahidi Fort. Vooral Bastakiya biedt een overtuigend, zo niet gezuiverd, beeld van het oude Dubai. Het is een hele buurt die dateert uit de tijd van de handelaren rond 1900, maar nu wordt bevolkt door authentieke Arabische restaurants en kunstgaleries. Met deze plaatsen alleen al, allemaal op loopafstand van elkaar, bent u een dag bezig, maar Bur Dubai is veel meer dan een lesje geschiedenis.

Boven: In Creekside Park is voor elk wat wils
Pagina 55: Goederen te koop op de Antique Souk

De groei breidde zich landinwaarts uit langs de Creek, tot aan Garhoud Bridge. Voorbij Garhoud wordt de woestijn zelfs nu nog gekoloniseerd met projecten als International City en Academic City.

Tussen de twee bruggen over de Creek ligt Creekside Park, een van de belangrijkste groene zones van het stadscentrum. Het heeft 2,5 km kustlijn en tuinen, eetplaatsen en speeltuinen. Rond Creekside Park zijn verscheidene hoofdattracties, waaronder Children's City, Wonderland, het Al Boom Tourist Complex, het Grand Cineplex en winkelcentrum Wafi City. Ze liggen op loopafstand van elkaar, maar door de grote wegen hier is het waarschijnlijk makkelijker om een taxi te nemen. Nogmaals, dit kleine deel van Bur Dubai is goed voor een leuk dagje uit.

Creekside Park en de erfgoedlocaties van het oude Bur Dubai liggen aan weerszijden van het gebied. Ertussen ligt een niemandsland van drukke, vaak verstopte wegen en commerciële gebouwen. Midden in dit gebied ligt Karama, een woonwijk befaamd om de goede koopjesmogelijkheden. Als u op zoek bent naar een nepzonnebril van Chanel voor 10 Dh, dan vindt u die hier. De restaurants van Karama zijn ook het verkennen waard als u genoeg hebt van hotelbuffets: ze zijn voordelig maar levendig.

Het tweede grote winkelcentrum in Bur Dubai grenst aan Karama, maar het contrast is enorm. In vergelijking met het ongekunstelde Karama is BurJuman Centre betoverend. Het vier verdiepingen tellende winkelcentrum is de afgelopen jaren uitgebreid en in het nieuwe gedeelte zitten designers als Lacroix, Gaultier, Dior en Alexander McQueen.

★Niet missen

1. **Sheikh Saeed Al Maktoum House ➤ 60**
2. **Dubai Museum ➤ 62**
3. **Bastakiya ➤ 64**
4. **BurJuman Centre ➤ 66**
5. **Creekside Park ➤ 68**

Op uw gemak

6. Heritage and Diving Village ➤ 69
7. Children's City, Creekside Park ➤ 69
8. Wonderland ➤ 70
9. Al Boom Tourist Village ➤ 71
10. Ras Al Khor Wildlife Sanctuary ➤ 71

Deze ontspannende dag begint met een bezoek aan de Majlis Gallery, en vandaar gaat het naar Creekside Park. Bezoek vervolgens winkelcentrum Wafi City om wat te winkelen en ga dan naar de film.

Bur Dubai in een dag

9:30 uur

Begin met ontbijt in het Basta Art Café naast de erfgoedbuurt 3 **Bastakiya** (➤ 64-65). De gemeente Dubai verandert dit stukje Bur Dubai aan de Creek langzaam in een nauwkeurige impressie van het Dubai vóór de wolkenkrabbers. Dit is een flinke dosis cultuur, dus kijk rond in de **Majlis Gallery** (➤ 78) ernaast voordat u door Bastakiya naar de Creek loopt. U kunt het Basta Art Café vragen om wat broodjes te maken als een picknick in het Creekside Park u leuk lijkt.

11:00 uur

Neem een *abra* naar 5 **Creekside Park** (➤ 68). U zult een watertaxi moeten huren voor de overtocht (voor hoogstens 50-60 Dh), maar het is een veel aangenamere manier van reizen dan de vierwielige variant. Als u stroomopwaarts gaat, ligt Deira op de linkeroever van de Creek, haar hoge gebouwen verdwijnen als u de dhow-kaden passeert en dan verschijnt het zeilachtige silhouet van de Dubai Creek Golf Club.

12:30 uur

Ga nadat u het Creekside Park hebt verkend lunchen in een van de eethuisjes in het park. Als u eten heeft meegenomen, zoek dan een picknickplek onder de bomen of aan een van de daarvoor gemaakte tafels. Vergeet niet om na de lunch een ritje te maken in de kabelbaan van het park.

14:30 uur

Verlaat het park via een van de zes poorten en houd een taxi aan voor een kort ritje naar het **Wafi City**-winkelcentrum (➤ 76), het designerwonderland van Dubai. Kinderen kunnen spelen in de Encounter Zone op de derde verdieping terwijl volwassenen de 300 winkels van het centrum verkennen.

17:00 uur

Gebruik een vroege maaltijd bij Planet Hollywood naast Wafi City. Voor volwassenen zonder kinderen heeft het Pyramids-complex in Wafi City een verscheidenheid aan restaurants en eethuisjes.

18:30 uur

Neem de gratis buspendeldienst van Wafi naar het **Grand Cineplex** (➤ 78). Hier worden de nieuwste kaskrakers vertoond op 12 schermen, dus het zou moeten lukken een film te vinden die iedereen leuk vindt.

21:00 uur

Als het te vroeg is om de taxi terug te nemen naar uw hotel en u heeft genoeg energie om de avond voort te zetten, ga dan naar Seville's (➤ 75) in Wafi City en laat u gaan in dit Spaanse restaurant met een vaste flamencogitarist. Er is een prima tapasmenu en een verleidelijke drankjeskaart.

1 Sheikh Saeed Al Maktoum House

Het huis van voormalig heerser sjeik Saeed Al Maktoum is gerestaureerd en veranderd in een museum waar de overgang van Dubai van woestijnstaat naar wolkenkrabberstad gedocumenteerd is.

In plaats van een herschepping van het traditionele Emiratileven, dat u op de andere oever van de Creek in het Heritage House (➤ 45) in Deira vindt, hanteert dit museum een conventionelere benadering. Buk onder de lage deuropeningen om een maquette van het oude Dubai te vinden en gangen met zwart-witfoto's van Dubai in de jaren zestig en zeventig. Toen was het huis grotendeels omgeven door zand en dadelpalmen.

Een gids kan u vertellen dat de wortels van de familie Maktoum bij een bedoeïenenstam uit de woestijn bij Abu

De voormalige residentie van sjeik Saeed Al Maktoum is een van de oudste gebouwen van Dubai

Boven: Een nachtelijk uitzicht op het museum

Dhabi liggen. Zij trokken naar Al Ain, maar omdat ze beseften dat zeehandel goed zou zijn voor de zaken en dat Abu Dhabi niet zoiets had als de Creek van Dubai trokken de Maktoums op naar Dubai en bezetten het gebied, aanleiding voor twee eeuwen van ruzies onder verwanten. Deze staat van onrust bleef tot ongeveer 1950, toen Abu Dhabi op olie stuitte. Ze konden echter het zware boormaterieel niet importeren zonder tot een overeenkomst te komen met de tak van de familie in Dubai: de Maktoums mochten Dubai houden als Abu Dhabi het mocht gebruiken om het materieel voor de olie-industrie te importeren. Tot ongeveer 1950 hadden de Emirati's alleen een mondelinge historie: er was niets opgeschreven. Tot 1960 had Dubai zelfs geen elektriciteit; tegenwoordig zijn de stamhoofden de directeuren van internationale bedrijven.

Het huis was in 1896 gebouwd van koraal bedekt met kalk en zandpleister en is een van de oudste gebouwen van Dubai. In 1986 is het gerestaureerd. Het museum heeft ook een collectie munten, kaarten en documenten over zaken als het verlenen van gratie aan gevangenen en lokale grondbezitsovereenkomsten.

Boven: Exposities tonen hoe de stad verrees uit de zandduinen

---

170 B4 Al Shindagha 393 7139 Za-do 8-20.30, vr 15.30-21.30, za-do 9-17, vr 14-17 tijdens de ramadan Duur

2 Dubai Museum

Geloof het of niet, Dubai bestaat al 5000 jaar. Ontdek hoe het leven sindsdien veranderd is in de prachtige gangen van de ondergrondse uitbouw van het Dubai Museum. Als u maar één museum bezoekt in Dubai, zorg dan dat het dit museum is.

Ga door een met kanonnen verdedigde deur het 18e-eeuwse Al Fahidi Fort binnen. Het fort was gebouwd om de handelaars en zeevaarders die aan de monding van de Creek woonden te beschermen tegen een invasie. Het museum illustreert de geschiedenis van deze 5000 jaar oude stad vanaf haar handels- en zeevaardersontstaan, via de parelvisserijperiode, conflicten, de bloei door de olie en ten slotte de huidige bouwkoorts.

De openluchtbinnenhof heeft enkele grote uitstallingen, zoals een *abra*, de boten die nog steeds gebruikt worden om de Creek over te steken. Aan de rechterkant, binnen de muren van het fort, is een expositie over wapenrusting en wapens. Er is weinig informatie over de geëxposeerde stukken, dus u komt bijvoorbeeld niet te weten dat de Khanjar-dolk met zijn gekromde benen handvat een Omaans wapen is. Op de muur ertegenover hangen modernere wapens, waaronder

plaatselijk gemaakte geweren en kogelriemen, die daar samen hangen met muziekinstrumenten: het mooiste stuk is een 'tambura' (een grote harp). Als u de binnenhof weer oploopt, gaat u naar de tegenoverliggende hoek naar de nieuwe ondergrondse gangen. U passeert een Europees bronzen kanon, voor het laatst gebruikt in de 19e eeuw. De nieuwe gangen hebben secties over archeologie, traditionele huizen, de souk in 1950, de woestijn, de moskee, een zeegang en astronomie. Rond 1970 werd de blauwdruk voor het moderne Dubai opgemaakt. Het decennium van verandering begon in 1971 toen de Verenigde Arabische Emiraten werden opgericht en eindigde met de aanleg van de Jebel Ali Port ('s werelds grootste droogdok) en de vrijhandelszone, het eerste grote risico dat sjeik Rashid bin Saeed Al Maktoum nam, en de bouw van de eerste wolkenkrabber van Dubai, het World Trade Centre (► 86).

Modellen beelden het leven van koopmannen, botenbouwers, pottenbakkers en juweliers uit. De Architectuurzaal laat zien hoe windtorens (nog steeds te zien in gerestaureerde gebouwen in Old Dubai) gebruikt werden om huizen te koelen. Smalle straatjes brachten ook schaduw, evenals zigzag-ingangen van gebouwen; alles om direct zonlicht tegen te houden. Een expositie over de bedoeïenen legt uit waarom water een constante obsessie was. In de zomer zetten de bedoeïenen hun tenten op circa 1 km van water op; in de winter, als hun dieren eens in de vier dagen dronken, werden de tenten opgezet op 23-48 km van een bron. Een sectie behandelt woestijnecologie en hoe planten en dieren overleven bij gemiddeld 40 °C in de zomer en maar 120 mm regen per jaar. Er zijn interessante zalen over Arabische handel en ontspanning. Kamelen zijn de belangrijkste dieren: ze zorgen voor vervoer, voedsel, melk en brandstof (uit hun mest) en worden ook gebruikt als betaalmiddel. Ze kunnen twee weken zonder water, kunnen water ruiken op een afstand van 2 km en 18 uur aan een stuk lopen. Als zij de werkpaarden zijn van het gebied, zijn de valken de gekoesterde huisdieren: ze worden gebruikt om op konijnen, trappen en andere vogels te jagen. Snelle valken worden 'Al Shaheen' genoemd terwijl langeafstandvliegers 'Al Hur Kamal' worden genoemd.

Het fascinerendste tableau is dat over de parelduiker. Parelduikers werkten al 1000 jaar in het gebied en tegen de 20e eeuw waren er zo'n 300 parelvis-dhows. De duikers voeren naar de oesterbedden ('Al Hiraat') en doken dan naar ongelofelijke diepten met slechts een neusklem van schildpadschild, een korf van touw, een steen van 5 kg om hen naar beneden te trekken en een touw om hun voorhoofd om hen terug te leiden naar de oppervlakte. De laatste zaal over Archeologie heeft uitstallingen van voorwerpen van vóór Christus, gevonden rond Dubai: bronzen dolken, fijne pijlpunten en vishaken, riemgespen en knopen van schelpen. De volgende halte is de souvenirshop van het museum, voordat u het verlaat aan Al Fahidi Street. De rondgang duurt maximaal twee uur.

170 B3 · Al Fahidi Street · 353 1862 · Za-do 8-22, vr 8-11, 16-22; 21-24 tijdens de ramadan · Duur

Links: Dubai Museum is gehuisvest in een 18e-eeuws fort
Boven en rechts: Exposities in het museum

3 Bastakiya

Bastakiya is een verzameling gebouwen aan de Creek die dateren van rond 1900, toen Iraanse handelaars zich er vestigden. Ze zijn gerestaureerd om een klein deel van het traditionele Dubai te herscheppen, dat thans zo'n 50 gebouwen telt. De beste manier om dit te ervaren is om de wijk te verkennen op een winteravond als de geur van Arabisch eten uit de restaurants drijft en dhows in de verte over de Creek varen zoals zij al honderden jaren hebben gedaan.

Alle gebouwen in Bastakiya zijn gebouwd volgens dezelfde methode: wanden van koraal bedekt met zandpleister. De gebouwen hebben een eeuwenoude vorm van airco, barjeel, dat een systeem van windtorens gebruikt om briesjes de huizen in te laten stromen. Nu zijn deze gebouwen kunstgaleries (➤ 78), musea, winkels en restaurants: allemaal subtiel geïntegreerd in de historische omgeving. Het Sheikh Mohammed Centre for Understanding in Bastakiya (tel: 353 6666, www.cultures.ae) geeft gedetailleerde uitleg over het Emirati-leven en kan indien nodig helpen een gids te regelen.

Bastakiya is ook een vroeg voorbeeld van het progressieve denken van de heersers van Dubai: ze verleenden de Iraanse handelaren belastingreductie en gemakkelijke immigratie, zoals de huidige regering immigratie stimuleert. Nu is het een van de oudste erfgoedgebieden van Dubai en u kunt erdoorheen lopen als u een wandeling langs de Creek maakt of nabijgelegen bezienswaardigheden bezoekt, zoals het Dubai Museum (➤ 62-63). De hele buurt is grotendeels autovrij, wat enige verlichting biedt van de drukte van Bur Dubai. Dit is ook een goed punt om de boot te nemen om andere gebieden van de Creek te verkennen.

170 B3

Eens woonden en werkten er Iraanse handelaars in Bastakiya

BASTAKIYA: INFORMATIE UIT DE EERSTE HAND

Beste tip Het Calligraphy House in Bastakiya roemt de islamitische kunstvorm van het kalligraferen. De techniek wordt van oudsher doorgegeven van vader op zoon (hoewel steeds meer vrouwen het doen) en wordt gebruikt om de moskeeën en de heilige boeken van de islam mee te versieren. In een kalligrafie zitten twee componenten: de letters zelf en de versiering van het werk, vaak door een andere kunstenaar.

4 BurJuman Centre

Als u BurJuman binnengaat, is het bijna alsof u een tekening van Escher in stapt. Hoe verder u zich waagt, hoe groter het wordt en hoe hoekiger het ontwerp wordt. Door opeenvolgende uitbreidingen heeft het BurJuman nu 300 winkels op 72.000 m^2. De nadruk in dit centrale winkelcentrum ligt op haute couture. Maar van de 95 winkels die dameskleding verkopen, is Saks 5th Avenue, het op een na grootste filiaal buiten de VS, de opvallendste. De winkel beslaat twee verdiepingen van het BurJuman: op de laagste verdieping vindt u cosmetica en parfum, de herenafdeling en het café-restaurant. Op de tweede verdieping van Saks vindt u de designermerken en sieraden.

De winkels van BurJuman zijn een goede mix van exclusieve namen – Dior, Lacroix, Dolce & Gabbana, Hermes en Tiffany – met meer betaalbare winkels, zoals Gap en Zara. Winkelpubliek dat uit is op een relaxtere look kunnen het proberen bij Diesel, Levi's of Quicksilver. Als u eenmaal bent uitgewinkeld, kunt u kiezen uit 15 fastfoodrestaurants, 17 koffieshops (waaronder Starbucks en Dome) en negen restaurants. Neem de roltrap naar de bovenste verdieping waar verscheidene koffiehuizen en restaurants om een daktuin heen liggen: de T Junction verkoopt verkwikkende gearomatiseerde en gewone thee in een hippe gele bar. Een enorm tv-scherm domineert de ene kant van de bovenverdieping, die profiteert van het natuurlijke licht dat binnenvalt door het bewerkte glazen dak.

Een informatiebalie op Level One van het North Village (tel: 352 0003) kan u helpen de rest van uw dag te plannen.

170 A2
Trade Centre Road
352 0222; www.burjuman.com
Za-do 10-22, vr 14-22, sommige winkels gaan vr later open

Boven en onder: Of u nu rondkijkt of iets koopt, er zijn genoeg dingen om u te verleiden
Links: Met 300 winkels is het BurJuman Centre een paradijs voor shoppers

5 Creekside Park

Creekside is het beste park van Dubai. Waarom? Er is voor elk wat wils. Actievelingen kunnen de 2,5 km lange kustlijn verkennen op huurfietsen. Tuiniers zullen geïnteresseerd zijn in de thematuinen met 280 plantensoorten. Toeristen zullen zich verwonderen over de sensationele uitzichten. En gezinnen zullen de ruimte en activiteiten geweldig vinden.

Met 222 ha is Creekside een zeer groot park; trek er minstens een halve dag voor uit om het recht te doen. U kunt het beste van de ene kant naar de andere zwerven volgens de bewegwijzerde paden die uw belangstelling prikkelen. Onderweg kunt u het beeld Rings of Friendship tegenkomen, een geschenk van de Amerikaanse gemeenschap van Dubai. Pagodes en door landschapsarchitectuur verfraaide tuinen liggen afgescheiden te midden van de hellingen van het park; in de woestijntuin staan inheemse woestijnplanten, terwijl er verspreid door het bosje dadelpalmen Arabische wachttorens staan. In het weekend komen veel gezinnen naar het Creekside Park om te barbecueën in de speciale kuilen en te luieren in de zon (let op: draag geen badkleding in het park, het strand is de enige plek waar dat gepast is). Sommigen nemen visgerei mee om hun geluk te beproeven vanaf de pier terwijl anderen de minitrein langs de rand van het park nemen.

Maar de hoofdattractie van het Creekside Park is de kabelbaan, die op 30 m boven de grond langs een stuk kustlijn loopt. Vanuit de verte kunt u de ronde gondels langzaam door de lucht zien gaan, maar vanuit de cabine heeft u een fantastisch uitzicht over de Dubai Creek Golf Club (➤ 54), een elegant, modern gebouw aan de andere kant van de Creek dat op de zeilen van een dhow moet lijken. Het nieuwe Park Hyatt-hotel naast de Golf Club is ook indrukwekkend. De kabelbaan ging open in 2000 en was toen de eerste in de Verenigde Arabische Emiraten. Er zijn verscheidene toegangspoorten tot het park, elk met een parkeerplaats. Als er geen taxi's staan te wachten, zult u misschien naar de grote weg moeten lopen om er een aan te houden.

172 C2 Riyadh Road
Vr-di 8-23, wo-do 8-23.30
Prijzen activiteiten variëren

De kabelbaan in het park is slechts een van de attracties ervan

Op uw gemak

6 Heritage and Diving Village

Op het uiterste puntje van de promenade langs de Creek bij het Sheikh Saeed Al Maktoum House tracht dit culturele centrum te laten zien hoe Emirati's leefden in het verleden. Als er personeel aanwezig is, wordt gedemonstreerd hoe goederen werden gemaakt en hoe parels werden geoogst. Er lijken echter lange periodes te zijn dat het Heritage and Diving Village niet volledig in bedrijf is. Er wordt nog verder gerestaureerd rondom de binnenhof en misschien wekt dit de plek tot leven. Als u het Dubai Museum niet heeft bezocht,

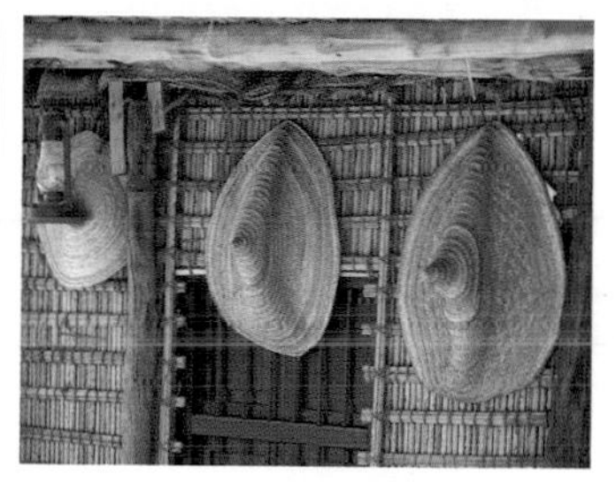

In dit museum ligt de nadruk op de historische parelvisserij-industrie van Dubai

dan krijgt u in het Diving Village een goed beeld van de gevaarlijke manier waarop de parelduikers hun brood verdienden.

170 B4 · Bij Al Shindagha Tunnel · 393 7151 · Za-do 8-22, vr 8-11, 16-22; za-do 21-24 tijdens de ramadan

7 Children's City

Fris, hip en fel: Children's City ziet er niet uit als een plek waar je iets leert. Maar dat is het hele idee achter dit briljante themapark voor kinderen. Het gebouw zelf, een verza-

meling blauwe, gele en rode asymmetrische vormen, ziet eruit alsof het van Lego gebouwd is en gebaseerd is op een kinderspelletje. Binnen is de ruimte verdeeld in goed doordachte zones met thema's als het menselijk lichaam, natuurkunde, internationale cultuur, natuur, werken met computers en ruimteverkenning. Het is niet zo droog als het klinkt: alle uitstallingen zijn op de een of andere manier interactief en er moet bij gespeeld worden. In het auditorium is plaats voor 300 mensen om shows te bekijken, terwijl het planetarium voor velen het hoogtepunt zal zijn. Het project, dat 17 miljoen dirham kostte, heeft internationale erkenning gekregen van de Wereld-Museum-raad van Unesco – het is zeker een uurtje of twee aan onderzoek waard.

172 B2 Creekside Park
334 0808; www.childrencity.ae
za-do 10-22, vr 16-22; 20-1 tijdens de ramadan Duur

8 Wonderland

Wonderland omvat een waterpark, Splashland, met glijbanen en attracties, en een lunapark. U betaalt per attractie; de achtbaan aan de rechterkant van het park kost bijvoorbeeld 10 Dh per rit en het piratenschip voor de jongere kinderen kost slechts 5 Dh per rit. Maar Wonderland heeft te duchten van Wild Wadi, het waterpark in Jumeirah (➤ 116), en Children's World en ziet er steeds afgeleefder uit. Bel voordat u gaat: de openingstijden kunnen variëren.

172 B1
Garhoud Bridge

Boven en links: Children's City maakt leren leuk

Boven: Flamingo's zijn slechts enkele van de vogels die naar Dubai trekken

☎ 324 1222; www.wonderlanduae.com
Waterpark: dagelijks 10-23; Themapark: 17-23
Duur

9 Al Boom Tourist Village

Al Boom, een enigszins veelsoortig complex dat het parkeerterrein deelt met Wonderland (➤ 70), houdt zich voornamelijk bezig met het op dinner cruise sturen van gasten op een van hun dhows. Het is de grootste dhow-operator van de Creek, met boten die 20-300 personen kunnen vervoeren. Maar tenzij u in de buurt van Al Boom verblijft, is het zinniger om een dhow te nemen aan de kant van Deira in de binnenstad.

172 B1 Garhoud Bridge
☎ 324 3000

10 Ras Al Khor Wildreservaat

Er zijn vast maar weinig wildreservaten die een skyline hebben zoals die van Dubai als achtergrond. Hoewel de urbanisatie naar en om Ras Al Khor heen kruipt, blijft dit grote, waterachtige wildreservaat het grootste vogelreservaat van het land en een paradijs voor vogelaars. Dat is niet verbazingwekkend als u ontdekt dat er zich op een winterse dag tot wel 15.000 vogels verzamelen rond de lagune.

De vogels die het gemakkelijkst te zien zijn, zijn de flamingo's. Deze trekkolonie, tot wel 1500 dieren sterk, komt overwinteren en men hoopt dat zij eens voor het eerst zullen gaan nestelen op Ras Al Khor. De oplettende bezoeker dient ook uit te kijken naar de westelijke rifreiger, de bastaardarend, de Mongoolse plevier en twee soorten trandlopers: de breedbekstrandloper en de terekruiter.

Ras Al Khor werd in 1993 benoemd tot wildreservaat om de flamingo's te beschermen, waarop rond 1980 jacht was gemaakt. Tegenwoordig zijn er drie schuilhutten op Ras Al Khor, twee bij Oud Metha Road en een derde bij Ras Al Khor Road: vanuit Dubai moet u omkeren om op de goede kant van de weg te komen om aan de kant te stoppen. De schuilhutten zijn voorzien van verrekijkers en een telescoop, maar de echte vogelaars kunnen hun eigen uitrusting meenemen. Een zonnehoed is ook aan te raden. De beste tijd om te gaan kijken is 's winters, als het weer gunstig is en de trekvogels zijn aangekomen.

172 bij B1 Ras Al Khor Road, te bereiken via knooppunt Bukadra op Dubai-Al Ain Road ☎ 206 4240
Gratis. Grote groepen op afspraak

Waar... Verblijven

Prijzen
Voor een tweepersoonskamer per nacht
€ 150Dh–600Dh €€ 600Dh–1500Dh €€€ 1500Dh–10.000Dh

Four Points by Sheraton €€

Dit middenklassehotel van Starwoord ligt op een toplocatie; de erfgoedwijk Bastakiya en het BurJuman-winkelcentrum liggen op loopafstand en andere bezienswaardigheden op dezelfde oever van de Creek zijn gemakkelijk bereikbaar. Met slechts 125 kamers trekt het Four Points evenveel zakenlieden als vakantiegangers. Er zijn twee bars en drie restaurants, waaronder een uitmuntend Indiaas restaurant (➤ 72). Verdere faciliteiten: een verwarmd buitenzwembad, een fitnessruimte en een overdekte parkeergelegenheid.

170 A3 Khalid Bin Walid Street 397 7444; www.sheraton.com

Golden Sands Hotel Apartments €€

In Dubai met zijn vele supermarkten zijn appartementen waar men zelf het eten moet verzorgen een haalbaar plan. Golden Sands is een geschikte optie in Bur Dubai. U kunt een een- of tweekamerstudio huren, met keukentje, airco en schoonmaak. De inrichting is functioneel, maar alle appartementen zijn voorzien van tv, telefoon en kookfaciliteiten. Een gratis buspendeldienst brengt gasten naar Jumeirah en er is een zwembad op het terrein. Langdurig verblijf is ook mogelijk.

169 F3 Bank Street 355 5553; www.goldensandsdubai.com

Grand Hyatt Dubai €€€

Alleen vanuit de lucht is te zien dat de vorm van het enorme Grand Hyatt-hotel (674 kamers en 13 restaurants op 15 ha) het woord 'Dubai' vormt in het Arabisch. Afgezien van dit soort details is het Grand Hyatt zo groot dat het een wereld op zich is: met elke avond de keuze uit een ander restaurant kunnen de gasten de atletiekbaan, de drie zwembaden, de vier tennisbanen en de fitnessruimte van het hotel gebruiken om in vorm te blijven.

Ondanks de onpersoonlijkheid van zo'n grote onderneming is het personeel goed opgeleid. Het Grand Hyatt is het enige resort in de binnenstad (de meeste zitten aan het strand, hoewel in 2005 een Park Hyatt haar deuren opende aan de andere kant van de Creek) en de zakelijke faciliteiten zijn gescheiden van vakantieruimtes, zodat de gasten elkaar niet belemmeren. De kamers zijn ruim en hebben alle verwachte hightechvoorzieningen.

172 A1 Oud Metha Road 317 1234; www.dubai.grand.hyatt.com

Jumeirah Rotana €€–€€€

Het Rotana, in het niemandsland tussen de oude steegjes van Bur Dubai en de stranden, ligt niet bepaald aan de gewilde kustlijn van Jumeirah, maar wel dicht bij vele attracties.

Het hotel is geliefd bij zowel zakenreizigers als vakantiegangers. Onder de faciliteiten vallen internetaansluiting en een pendeldienst naar het strand en het Mercato-winkelcentrum. De kamers zijn comfortabel maar niet bijzonder stijlvol.

168 C4 Al Dhiyafa Street, Satwa 345 5888; www.rotana.com

Mövenpick Hotel €€–€€€

Zwitserse kwaliteit en Arabische weelde komen samen in het Mövenpick Hotel tussen de winkelcentra Wafi City en Lamcy Plaxa. De 232 kamers zijn dan misschien wat gewoontjes, maar de speciaal geïmporteerde bedden zijn comfortabel en de suites hebben elk een jacuzzi.

Het is geen gunstige locatie voor strandgangers en het uitzicht is niet bepaald een plaatje, maar het hotel ligt buiten het gedruis van centraal Dubai en dicht bij verscheidene attracties en het vliegveld.

De faciliteiten zijn met draadloos internet op alle kamers gericht op zakenreizigers, maar vakantiegangers zullen ingenomen zijn met de uitstekende fitnessruimte op het dak met zwembad en atletiekbaan. Verdere faciliteiten: een Turks stoombad en sauna, het vooraanstaande Libanese restaurant Fakhreldine, en Jimmy Dix (➤ 77).

172 B3 ✉ 19th Street, Oud Metha
☎ 336 6000; www.movenpick-burdubai.com

President Hotel €

Voor voordelig logies moet u niet in Dubai zijn: de keuze is teleurstellend en bijzonder onaantrekkelijk tijdens de zomerhitte. Het President Hotel is een typisch voorbeeld: niet genoeg verlicht en niet genoeg personeel, maar het doet toch zijn best. Het gaat vooral om de prijs, want de locatie, bij Karama, is niet rustig of pittoresk, en het is een heel eind naar het strand.

169 E2
✉ Trade Centre Road, Karama
☎ 334 6565

XVA €€

De XVA-kunstgalerie verbergt een geheim: acht gastenkamers, afzonderlijk ingericht met kunst en antiek. Dit is een van de ongewonere verblijfsplaatsen in Dubai, en daarmee zoveel te beter. Het Basta Art Café en de erfgoedwijk Bastakiya aan de Creek liggen ook in deze buurt.

Het XVA zit inderdaad in een gerestaureerd traditioneel gebouw met een windtoren en muren van adobe. Verwacht geen zwembad of internetaansluiting; in plaats daarvan is er een dakterras waarop u naar de zonsondergang kunt kijken. Door de redelijke prijzen zit het XVA snel vol en moet u zo ver mogelijk vooraf reserveren.

170 B3
✉ Rotonde Al Musalla-Al Fahid, Bastakiya
☎ 353 5383

Waar...
Eten en drinken

Prijzen
Per persoon per driegangenmaaltijd, exclusief drank en bediening
$** minder dan 60Dh **$$** 60Dh–100Dh **$$$ meer dan 100Dh

Antique Bazaar €€

De Antique Bazaar, op de tweede verdieping van het Four Points Sheraton-hotel, is een van de beste Indiase restaurants van Dubai en trekt een trouwe Aziatische cliëntèle. De hele ervaring heeft evenveel te maken met de inrichting – zware teakhouten tafels en stoelen, Indiase antieke voorwerpen en afbeeldingen – en de live muziek, als met het voortreffelijke eten. De voornamelijk Noord-Indiase specialiteiten kunnen vergezeld worden van Indiase bieren. De muziek is nooit opdringerig, maar dit is niet de beste plek voor een onderonsje.

170 A3 ✉ Four Points Sheraton
☎ 397 7444 ⏱ Dagelijks 19.30-2, za 12.30-3

Basta Art Café €

Als u het oude Bur Dubai bekijkt, moet u echt even naar het Basta Art Café. Het bevindt zich tussen het Dubai Museum en Bastakiya aan Al Fahidi Street in een traditioneel gebouw met een mooie binnenhof, beschaduwd door parasols en bomen.

Het eten is voortreffelijk voor de gevraagde prijs en hapjes zoals de Souksalade van couscous, kip, cashewnoten en sla of de Griekse dorpssalade van tomaten, komkommer, olijven, feta en rode ui lijken perfect afgestemd op de omgeving. U kunt er ook broodjes kopen – het broodje met kip en mango is erg smakelijk – of goed ontbijten. Een sapbar schenkt pittige mixen zoals limoen en lychee.

Ondanks de ligging bij centraal Bur Dubai lijkt het rustige Basta Art Café geen last te hebben van het verkeer en de drukte buiten. Zoals de naam doet vermoeden, is het eethuisje ingericht met het werk van lokale kunstenaars en vele stukken zijn te koop.

170 B3 Rotonde Al Musalla-Al Fahid, Bastakiya 353 5071
Dagelijks 10-22

Bastakiah Nights €€–€€€

Als de zon ondergaat, komt dit uitstekende Arabische restaurant in zijn element. Warme lichtjes verwelkomen u in het traditioneel ingerichte huis en u kunt kiezen of u in de grote zaal op de begane grond gaat zitten of op het dakterras: de beste keus voor winteravonden. Het menu is een mix van Arabische kookstijlen, hoewel de Libanese gerechten het lekkerst zijn. Voorgerechten als tabbouleh of zelfgemaakte yoghurt worden gevolgd door hoofdgerechten als gemarineerde kip of lamsvlees. Het dagmenu van 128 Dh is een uitstekende keus als u een net zo stevige trek heeft.

170 B3 Bastakiya
353 7772 Dagelijks 12-24

Dome €

In dit eethuis van een internationale keten kan het vermoeide winkelpubliek uitstekend bijtanken met koffie, gebak en hapjes. Het eethuis ligt buiten, op een hoek van het BurJuman Centre aan de weg, maar het trekt ook plaatselijke bewoners die er even komen zitten praten. De inrichting is in Franse stijl en de obers spelen hun rol in zwart-witte dienstkleding en mooie baretten.

170 A2 BurJuman Centre
355 6004
Dagelijks 7.30-1.30

Gazebo €

Een van de beste Indiase restaurants van Dubai vindt u in Karama. Gazebo heeft zowel voortreffelijk eten als een uitstekende bediening. Tandoori-vleesgerechten zijn een specialiteit, net als biriyanis, allemaal vers bereid voor een grotendeels Indiase cliëntèle door een vakkundige chef-kok. U zou hier voor minder dan 60 Dh per persoon moeten kunnen eten, en dat is een koopje. Let op: in Gazebo schenkt men geen alcohol.

169 E2
Trade Centre Road, tegenover Spinney's, Karama 397 9930
Dagelijks 12-15, 19-23.45

Kanzaman €€

Voor een prachtig uitzicht over de Creek volgt u de promenade tot aan de monding van de Creek, waar u een aantal Arabische restaurants aantreft die toeristen trekken met shisha-pijpen, traditionele Arabische gerechten en een mooi uitzicht op de drukte op de belangrijke waterweg van Dubai. Ga 's avonds, als de dhows verlicht zijn en gezinnen langs de waterkant wandelen.

Het menu van Kanzaman is de standaardcombinatie van Libanese en Arabische favorieten, maar de echte reden om hier te dineren is het uitzicht, dus verzeker u ervan dat u een tafel buiten krijgt.

170 B4
Heritage and Diving Village
393 9913
Dagelijks 10-23.30

Lemongrass €

Net als Gazebo heeft Lemongrass er een verdienste van gemaakt om een zelfstandig restaurant te zijn. De bediening is vlot en het eten is goed te vergelijken met dat van de veel duurdere Thaise restaurants in hotels.

Op het menu staan alle Thaise hoofdschotels en ook wat plaatselijke aanpassingen. Maar de afwezigheid van een drankvergunning betekent dat u een groene curry niet weg kunt spoelen met bier.

172 A3 Lamcy Plaza, Oud Metha
334 2325
Dagelijks 12-15, 19-23

Local House Restaurant €€
Benieuwd hoe kamelenvlees smaakt? Ontdek het in dit traditionele Arabische restaurant naast het Basta Art Café (➤ 73). Local House opende in 2006 zijn deuren en serveert stevigere maaltijden dan het Basta Art Café. Hoewel er hapjes en salades op het menu staan – de Bastakiya-salade van mango, sla, avocado, kip, pepers, olijven en feta kost 38 Dh – krijgt u bij de buren meer waar voor uw geld. Maar de hoofdgerechten zijn met 45 Dh scherp geprijsd, en u kunt kip nemen in plaats van kameel.

170 B3 Rotonde Al Musalla-Al Fahid, Bastakiya 353 2288; www.localhouse.net Za-do 10-22, vr 13.30-22.30

Planet Hollywood €€
Kinderen zullen de primaire kleuren en uitbundigheid van dit filiaal van de populaire Amerikaanse keten verkiezen boven de gemaakte nonchalance en luxe vormgeving van de andere eethuizen in Wafi City Mall.

Er staan geen verrassingen op het menu – hamburgers zijn prominent – maar het kindermenu zal geliefd blijken. Kinderen kunnen ook meedoen aan spelletjes of activiteiten, zoals schminken, gedurende de hele maand en tijdens de levendige Friday Brunch. Planet Hollywood staat aangegeven buiten het winkelcentrum: kijk uit naar de enorme wereldbol.

172 A2 Wafi City Mall 324 4777; www.planethollywood-dubai.com Dagelijks 9-23

Seville's €€
Voor vermaak bij uw tapas hoeft u niet verder te zoeken dan Seville's. De restaurant-bar in Spaanse stijl heeft een flamencogitarist die gasten in het restaurant en in de tuin op het dakterras een serenade brengt. Op winteravonden, als de cocktails rijkelijk vloeien, kan de sfeer echt Baleaars worden.

172 A2 Wafi City
324 7300
Dagelijks 12-15, 19-1

Waar... Winkelen

BurJuman
Het BurJuman is zo zelfverzekerd dat het geen genoegen neemt met het drukken van een uitneembare folder, maar ook een grote glossy uitgeeft. Het winkelcentrum concentreert zich op haute couture, maar er zijn ook winkels met sieraden, woninginrichtingsartikelen, kinderkleding, cosmetica, elektronica, boeken en muziek.

De hoofdrolspeler is Saks 5th Avenue, maar de Amerikaanse winkel wordt bekwaam bijgestaan door, onder andere, Banana Republic, Calvin Klein, Donna Karan, Guess, Kenzo, Cavalli, Laura Ashley, Loewe Monsoon, Ralph Lauren, Paul Smith, Whistles, Valentino en Versace.

Voor gezinnen met jonge kinderen heeft het BurJuman een babyverschoonkamer en, op de bovenste verdieping, het amusementsgedeelte Fun City. Het BurJuman is terecht populair en een van de vijf beste winkelcentra van Dubai.

170 A2 Trade Centre Road
352 0222; www.burjuman.com
Za-do 10-22, vr 16-22

Karama
De buurt Karama ligt net voorbij het BurJuman aan Sheikh Khalifa bin Zayed Road, maar het is een compleet andere wereld. In plaats van 6000 Dh te betalen voor een designhorloge, betaalt u 60 Dh. Voor voordelige (imitatie)designmerken en ongewone souvenirs moet u in het Karama Shopping Complex zijn. De verkooppraatjes zijn niet al te opdringerig, maar als u interesse toont zal men blijven aandringen totdat u iets koopt.

Lamcy Plaza
Hier kunnen koopjesjagers nog beter hun slag slaan dan in het naburige Wafi City-winkelcentrum. Het vijf verdiepingen tellende winkelcentrum is geliefd onder de plaatselijke inwo-

ners, omdat het alledaagse artikelen verkoopt tegen bodemprijzen. Er is een speelcentrum voor de kinderen. Verwacht niet veel designernamen te vinden bij Lamcy; met een apotheek, postkantoor, wisselkantoor en zelfs een rijschool ligt de nadruk op de praktische kant.

172 A3 ✉ Aan knooppunt Sheikh Rashid Road-Umm Hurair Road ☎ 335 9999; www.lamcyplaza.com ⊙ Dagelijks 9-22

Wafi City

Exclusiviteit en verscheidenheid zijn de wachtwoorden van Wafi City. Het winkelcentrum is veel compacter dan andere mededingers naar de titel van beste winkelcentrum van Dubai, dus het is niet zo'n klus om alle winkels te bekijken. Maar wat het niet heeft aan omvang maakt het ruimschoots goed in weelde; het interieur is een en al glamour en kan aandoen alsof u zich in een luxueuze hotelfoyer bevindt in plaats van in een winkelcentrum. En met namen als Versace, Chanel en Nicole Farhi, heeft Wafi City de bijbehorende winkels. Wafi City is het winkelcentrum van Dubai dat het meest door designers wordt bepaald; er zit ook een grote winkel van Marks & Spencer op de eerste verdieping.

Winkels om op te letten op de begane grond zijn Gianfranco Ferre, Chanel, Aigner en Nicole Farhi voor dames, terwijl de heren naar Calvin Klein, Pierre Cardin, Strellson en Cerruti kunnen. Het winkelpubliek van Dubai wordt ook naar Wafi City getrokken door de juweliers: de glinsterende etalages van Graff, Swarovski en Tiffany & Co. biologeren zelfs de meest gierige voorbijganger.

Maar te midden van de diamanten en designernamen heeft Wafi City een handjevol winkels die ietwat speciaal zijn. Comtesse heeft een uitverkoopetage gewijd aan Meissen-porselein, een van de fijnste soorten ter wereld, en Scarabee (tel: 324 8066, open za-do 10-22, vr 16-22), ook op de begane grond, verkoopt een verscheidenheid aan echte zilveren ornamenten (tel: 324 0527; za-do 10-22, vr 16-22). Op de eerste verdieping zit Wafi Gourmet (tel: 324 4433; winkel vr-wo 9-12, do 9-13; restaurant vr-wo 10-12, do 9-13; www.wafi.com), een voedselwinkel en restaurant van sjeik Manah, een neef van sjeik Mohammed, de heerser van Dubai. De delicatessenzaak is gespecialiseerd in de Libanese en Arabische keuken en verkoopt olijven, gedroogd fruit, specerijen en kruiden, rozenwater, zoetigheden zoals amandelen, cashewnoten, zaden, pistaches, nougatcombinaties, petitfours, baklava en Arabische koffie. Op het menu van het restaurant staan Libanese salades en meze, gegrilde vis en vlees (kebabs en shoarma) en Arabische zoetigheid. U kunt ook afhalen.

Twee kledingzaken, beide op de begane grond, zijn anders dan de andere. De boetiek van de Italiaanse designer en winkeleigenaresse Mariella Burani (tel: 324 5245; za-do 10-22, vr 16-22) pronkt met haar kleurrijke, unieke kledingstukken. En kinderkledingwinkel Oilily (tel: 324 2335; za-do 10-22, vr 16-22; www.oilily-world.com) biedt met zijn collectie ultrahippe en gelimiteerde kinderkleding een inleiding tot bohémienachtige chic voor kinderen tot twaalf jaar: denk aan gebreide kleding met patronen, tijdloze opdrukken en handgeborduurde tassen.

Neem de lift naar de tweede verdieping voor de Encounter Zone, die verdeeld is in een deel voor kinderen tot negen jaar en een deel voor oudere kinderen. In de Encounter Zone voor de jonkies is een opblaasbaar springgedeelte en een zacht speelgedeelte met een Crater Challenge voor de actievere kinderen. Hun oudere broers en zussen kunnen de Crystal Maze proberen, een vluchtsimulator gevolgd door een parachutesimulator en een 3D-filmscherm.

Voor meer amusementsopties is er een gratis buspendeldienst van Wafi City naar de Grand Cineplex (➤ 78). Een binnenkort te openen uitbouw voegt een ondergrondse souk, 90 winkels, een Raffles-hotel en een nieuw warenhuis toe.

172 A2 ☎ 324 4555; www.waficity.com

Waar... Ontspannen

BARS EN CLUBS

Ginseng

Ginseng is een zelfstandige nachtclub met een bar, lounge, restaurant en een drankvergunning. Het restaurant serveert Thaise specialiteiten, maar veel mensen komen voor de champagnecocktails: op dinsdag is het twee drankjes voor de prijs van één. Het interieur is elegant en ook de cliëntèle verschijnt piekfijn gekleed.

172 A2 ✉ Planet Hollywood-complex, Wafi City, Umm Hurair ☎ 324 8200; www.ginsengdubai.com Vr-wo 19-2; do 19-3

Jimmy Dix

Dit is een gewone, rumoerige plek om te feesten, en de reputatie ervan voor gewoon ongecompliceerd drinken en dansen betekent dat het niet iets is voor de kritische stapper. Maar u kunt het zeker naar uw zin hebben in deze bar in (losse) speakeasy-stijl.

172 B3 ✉ Mövenpick Hotel, Oud Metha ☎ 336 8800 Dagelijks 19-3

MIX

MIX is bijzonder om twee redenen. Ten eerste is het met drie verdiepingen, een zaal voor live muziek en een loungegedeelte een van de grootste nachtclubs van Dubai. Ten tweede zijn er geen couvertkosten voor de entree. Met ruimte voor 800 personen kan een rustige avond een anticlimax zijn. Maar: MIX boekt internationale sterren-dj's en op die avonden zult u in de rij staan.

172 A1 ✉ Grand Hyatt Hotel ☎ 317 1234 Zo-vr 18-3

Vintage

Kaas, wijn en een ontwapenend gebrek aan snobisme: deze wijnbar heeft het allemaal. Wijnliefhebbers kunnen uren neuzen in een wijnkaart die de meeste van de wijnregio's van over de hele wereld omvat – maar anders dan de verheven sfeer in andere bars, gaat het er bij Vintage om dat er gelachen wordt. Het bewijs? Fondue-avonden in het weekend.

172 A2 ✉ Pyramids, Wafi City ☎ 324 4100 Vr-wo 18-1.30; do 16-2

KUUROORDEN

Cleopatra's Spa

Ja, het thema van dit kuuroord is het oude Egypte, hoewel de hammamachtige hydrotherapieruimte mediterrane invloeden toevoegt. Het kuuroord is in het alleen voor leden bestemde Pharaoh's Club en u mag gebruikmaken van de luxueuze omgeving van het zwembad van de club.

172 A2 ✉ Wafi City ☎ 324 7700; www.waficity Dames: za-do 9-20, vr 10-20. Heren (aparte deur): ma-za 10-22, zo 10-19

The Grand Spa

Ondanks de afmetingen van het omliggende hotel is de Grand besloten en ontspannend, met zijn met kaarsen verlichte ruimten, dompelbaden, sauna, Turks stoombad en jacuzzi. De therapeuten zijn vermaard om hun gezichtsbehandelingen. Bij sommige arrangementen is ook gebruik van de uitgebreide fitnessfaciliteiten van het Grand Hyatt inbegrepen.

172 A1 ✉ Grand Hyatt Hotel ☎ 345 6770; www.dubai.grand.hyatt.com

House of Chi en House of Healing

Tai chi, yoga, shiatsu, reiki en pilates: het wordt allemaal aangeboden door dit alternatieve gezondheidscentrum. Gasten kunnen ook reflexologie of traditionele Chinese geneeskunst proberen in het House of Healing. Er wordt een verscheidenheid aan oosterse massages gegeven, of u kunt in plaats daarvan een les volgen in de oosterse vechtkunst.

170 A3 ✉ 6e verdieping, Al Musalla Towers, Khalid Bin Walid Street ☎ 397 4446; www.hofchi.com

CULTUUR

Grand Cineplex
Maak een keuze uit 12 schermen en de nieuwste kaskrakers in dit enorme bioscopencomplex. Het ligt dicht bij het Wafi City-winkelcentrum en het Creekside Park, dus u kunt er een dagje van maken.

172 A1 Umm Hurair, bij Grand Hyatt Hotel 324 2000; www.grandcinemas.com

Majlis Gallery
De Majlis Gallery, misschien wel de bekendste van Dubai, heeft in haar expositieruimtes plaats voor verscheidene kunstenaars. De kunstenaars zijn zowel lokalen als internationalen en hun interesses zijn niet beperkt tot schilderijen: er is al meubilair tentoongesteld, beeldhouwwerken en bedrukte stof. Neem de tijd om dit gedeelte ook te bekijken: er is veel interessants te zien in deze erfgoedbuurt.

170 B3 Rotonde Al Musalla-Al Fahid, Bastakiya 353 6233 Za-do 9.30-20

ACTIVITEITEN

XVA
Deze gerestaureerde windtoren heeft een kunstgalerij, een eethuisje en een handjevol gewilde gastenkamers. De getoonde kunstenaars vormen een bont gezelschap. U kunt net zo waarschijnlijk een exhibitie te zien krijgen over de 'verticale wereld' van Dubai als van beeldhouwwerken. Het ligt dicht bij de Majlis Gallery (vorige omschrijving).

170 B3 Rotonde Al Musalla-Al Fahid, Bastakiya 353 5383 Za-do 9-22, vr 9-18

Al Boom Tourist Village
Elke avond vertrekken negen dhows vanaf Al Boom. Bij de prijs hoort een diner aan boord, maar omdat de locatie enigszins afgelegen is, zult u ook de taxi van en naar uw hotel moeten betalen. Een late cruise vertrekt om 22.30 uur tot middernacht. Er zijn twee restaurants in Al Boom; Al Areesh serveert internationale kookstijlen terwijl Al Dahleez enkele Emirati-gerechten serveert.

172 B1 Umm Hurair, naast Garhoud Bridge 324 3000; www.alboom.ae Late cruise: duur

Bluesail Dubai
Bluesail organiseert van alles op nautisch gebied. Ze hebben twee speedboten, twee jachten en drie motorjachten, en ze kunnen ook bemanning en schippers regelen. De speedboot is een opwindende manier om de Creek te bekijken en u kunt de boot zelf eens proberen te besturen.

170 B2 Al Seef Road, tegenover Britse ambassade 397 9730; www.bluesailyachts.com Duur

Dubai Watersports Association
Net voorbij de dhow-scheepsbouwwerf kan de DWSA korte wakeboard- of waterskilessen geven op de Creek. Niet-leden zijn welkom, maar moeten een klein entreebedrag betalen.

172 B1 Al Jaddaf 324 1031; www.dwsa.net Duur

Pursuit Games
Blaas stoom af met een groep gelijkgestemde zielen, een paintballpistool en heel veel paintball-bolletjes. Dit is de enige paintball-operator in Dubai en is succesvol sinds de opening in 1996. Ze hebben een goede staat van dienst qua veiligheid en moderne spullen.

172 B1 Wonderland, bij Creekside Park 050 651 4583; www.paintballdubai.com Duur

Al Nasr Leisureland
Leisureland is een verouderend complex (gebouwd in 1979) met een bowlingcentrum met acht banen, een kunstijsbaan en tennis- en squashbanen. Alle spullen kunnen worden gehuurd, maar u doet er verstandig aan de banen te reserveren.

172 A3 Umm Hurair Road, Oud Metha, in de buurt van het American Hospital 337 1234; www.alnasrll.com Dagelijks 9-23 Duur

Jumeirah-Oost

Even oriënteren

Jumeirah is de buitenwijk waar de eerste expats van Dubai zich in de jaren tachtig vestigden, en strekt zich uit van Jumeirah Mosque, de enige moskee in de Verenigde Arabische Emiraten die toegankelijk is voor niet-moslims, tot het derde knooppunt van Sheikh Zayed Road, net vóór de Burj Al Arab. Het gebied strekt zich ook landinwaarts uit voorbij Sheikh Zayed Road, die parallel loopt aan de kust, tot aan de favoriete plaats van de familie Maktoum om te ontspannen: de renbaan van Nad Al Sheba. De Godolphin Gallery in Nad Al Sheba stelt de passie van de familie voor de ruitersport te boek. Als u vanaf Nad Al Sheba verder landinwaarts gaat, komt u al gauw in een onbevolkte woestijn, hoewel het enorme bouwproject Dubailand (► 123) daar de komende jaren verandering in zal brengen.

Jumeirah zelf is een zeer rijk stadsdeel; er staan weinig hoge woonblokken aan de strandboulevard, in plaats daarvan zijn vrijstaande villa's de gebruikelijkste woonruimte, die zo ongeveer de hoogste huurgelden van Dubai afdwingen. Dit is de verblijfplaats van de Jumeirah Janes: de naam die plaatselijke bewoners geven aan de echtgenotes van de welgestelde zakenmannen van Dubai. Bijgevolg zijn er veel kuuroorden, winkels en eethuisjes aan Beach Road, de hoofdverbindingsweg tussen de strandboulevard en Sheikh Zayed Road. Beach Road zelf is in 2006 verbreed, dus is er minder ruimte voor voetgangers; u zult er niet prettig wandelen en het is soms even zoeken naar een oversteekplaats. Omdat de attracties ver uit elkaar liggen, heeft u een taxi nodig.

Dit deel van Jumeirah heeft ook de opwindendste kant van Sheikh Zayed Road, met spectaculaire architectuur aan weerszijden van de 12-baans verkeersslagader. Het opvallendste project hier is Burj Dubai, dat het hoogste gebouw ter wereld zal worden. Een golf van ontwikkeling zal de Burj omspoelen, en van woestijn bedrijfs- en woongebouwen maken. Als u uw weg na de Burj Dubai vervolgt naar Interchange Two bereikt u Safa Park, een van de aantrekkelijkste parken in Dubai. Sla hier rechtsaf richting Golf en u bereikt Jumeirah Beach Park, een andere groene zone waarvoor u entree moet betalen midden in de welvarende voorstad. Het strand vanaf de binnenstad tot aan het Burj Al Arab-hotel is een mix van openbaar en particulier gebied. De luxueuze hotels, zoals het Jumeirah Beach Club Resort naast het Beach Park, onderhouden hun eigen stuk strand. Het grote publiek betaalt ofwel entree voor een park of hotelstrand (► 143-144), of gaat naar een openbaar strand.

10

5

11

Links: De iconische Emirates Towers
Pagina 79: De Emirates Towers bij nacht

★Niet missen

1 Jumeirah Mosque ➤ 84
2 Dubai World Trade Centre ➤ 86
3 Emirates Towers ➤ 87
4 Zabeel Park ➤ 88
5 Majlis Ghorfat Um Al Sheef ➤ 90
6 Nad Al Sheba en Godolphin Gallery ➤ 92

Op uw gemak

7 Kamelenraces op Nad Al Sheba ➤ 95
8 Falcon and Heritage Sports Centre ➤ 95–96
9 Burj Dubai ➤ 96
10 Jumeirah Beach Park ➤ 97
11 Safa Park ➤ 97

Linksboven: Mercato Mall

Links: Paardenrennen op Nad Al Sheba

De dag begint bij de prachtige Jumeirah Mosque, gevolgd door een kijkje op het nabijgelegen strand. Verken 's middags het erfgoed van Dubai en ga 's avonds naar een bar of restaurant.

Jumeirah-Oost in een dag

10:00 uur

Begin de dag bij de 1 **Jumeirah Mosque** (➤84-85). Op dinsdag, donderdag of zondag kunt u die vanbinnen bezichtigen, daarbuiten zult u genoegen moeten nemen met het bewonderen van de minaretten aan de buitenkant. Merk op dat de moskee naar Mekka gericht is en dat de maansikkel bovenop aangeeft dat het een bedehuis is.

11:00 uur

Steek de weg over om pootje te baden bij wat bekendstaat als Russian Beach en officieel **Jumeirah Open Beach** heet, een vrij stuk strand waar de zonnebaders tegenwoordig internationaler zijn dan de bijnaam suggereert. Een promenade achter het strand trekt moeders met wandelwagens en jongemannen die lunchpauze hebben. Ga terug naar Jumeirah Mosque door Beach Road weer over te steken en sla dan rechtsaf.

12:00 uur

Voordat u Magrudy's boekenwinkel bereikt en het begin van een reeks winkelcentra, zal het Lime Tree Café (➤100) u met versbereide broodjes, salades en gebak verleiden tot een lunch. De Lime Tree is een instituut in Jumeirah en u kunt naar de expats kijken terwijl u eet.

14:00 uur

Verken na de lunch uw winkelopties. Het opvallendste winkelcentrum aan Beach Road is **Mercato** (➤102). Nee, u hallucineert niet: de bijzondere mix van architectuur in Toscaanse en Venetiaanse stijl is echt bedoeld om de

bezienswaardigheden van het Middellandse-Zeegebied naar een winkelcentrum in Dubai te brengen. Als u daarentegen op zoek bent naar een dosis erfgoed, zeg de taxichauffeur dan dat hij voorbij Mercato moet rijden, richting het Jumeirah Beach Hotel, totdat u aan uw linkerhand een HSBC-bank ziet. In dit zijstraatje beraadslaagden de heersers van Dubai in het 5 **Majlis Ghorfat Um Al Sheef** (➤ 90) over de toekomstige vorm van de stadstaat.

15:00 uur

Blijf niet te lang in het Mercato of de Majlis: ga even de zon in in 11 **Safa Park** (➤ 97) voordat u vóór de spits Sheikh Zayed Road opgaat.

18:00 uur

Kom terug bij Sheikh Zayed Road en ga naar het 3 **Emirates Towers** hotel (➤ 87) om de zonsondergang te bekijken vanuit bar Vu's (➤ 103) op de 51e verdieping.

20:30 uur

De meeste hotels in de buurt hebben ten minste één uitstekend restaurant. Spectrum on One (➤ 101) in het Fairmont aan de overkant van de weg is terecht populair en Hoi An (➤ 100) in het Shangri-La iets verderop draagt bij tot een extra bijzondere avond. Of verblijf in het Emirates Towers en proef van de voortreffelijke moderne Europese keuken bij Vu's.

1 Jumeirah Mosque

Jumeirah Mosque is een van de grootste en mooiste moskeeën van Dubai en de enige moskee in de Verenigde Arabische Emiraten die toegankelijk is voor niet-moslims. Een bezoek geeft u zowel de gelegenheid om meer over de islam te leren als om het gebouw te bewonderen.

Vanuit sommige hoeken staan de elegante minaretten van Jumeirah Mosque tegen een achtergrond van enkele van 's werelds meest vooruitstrevende bouwwerken. Maar de moskee is ook met haar tijd meegegaan; in plaats van een man boven in de minaret roept een luidspreker de moslims tot gebed. En, met 700 moskeeën in Dubai, een van de hoogste concentraties in welke wereldstad dan ook, zult u de oproep van de muezzin niet missen. Het is regeringsbeleid dat een moskee voor iedereen binnen loopafstand dient te liggen.

De rondleiding 's ochtends van een uur (zie onder) met een gids van het Sheikh Mohammed Centre for Cultural Understanding biedt u niet alleen de kans de pastelkleurige patronen en dessins binnen in de moskee te bewonderen, maar ook de gelegenheid een cultuur te begrijpen waar vele bezoekers van Dubai misschien niet bekend mee zijn. Ontdek alles wat u ooit hebt willen weten over de islam maar niet durfde te vragen: men wordt aangemoedigd vragen te stellen en u zult niemand beledigen. Maar het is geen podium om te bekeren of te preken en de hele ontmoeting is licht informatief.

De moskee is gebouwd in 1975 in de Fatimy-stijl, een kopie van een grotere moskee in Caïro in Egypte. Aan de buitenkant wijzen aspecten van de vorm van een moskee op haar functie: de maansikkel geeft aan dat het een bedehuis is en de lijnen van de koepel zijn bedoeld om het oog omhoog te trekken naar God. Door de minaretten (torens) kan de roep tot gebed zo ver mogelijk reiken. Een aparte vleugel, achter de houten deuren aan de linkerkant, is het gedeelte waar de vrouwen bidden: in de Verenigde Arabische Emiraten wonen vrouwen en mannen niet gezamenlijk een dienst bij.

De voorgevel van de moskee heeft wat filigreinwerk, bedoeld om diepte en warmte toe te voegen aan het exterieur. Het interieur vertoont Turkse en Egyptische invloeden: de decoratie is opzettelijk ingetogen gehouden. Er is plaats voor 1200 personen, wat het op wereldschaal een kleine tot middelgrote moskee maakt. Binnen is een vierkante opstelling van zuilen, een centrale, beschilderde koepel, de *qubba*, en de *mihrab*, de preekstoel waar vandaan de imam, of voorganger, met zijn gezicht naar Mekka staat (met zijn rug naar de andere gelovigen). De oriëntatie van de moskee en de gelovigen wordt bepaald door de relatieve positie van Mekka, in Saoedie-Arabië, en in het bijzonder de zwarte steen in Mekka, de Ka'bah.

U doet uw schoenen uit voordat u de moskee betreedt. Dit omdat moslims bidden en zich ter aarde werpen op de vloer van de moskee in plaats van op stoelen of banken te zitten. Het uittrekken van de schoenen is dus een teken van respect voor andere gelovigen die hun voorhoofd tegen de grond drukken. Er is geen fysieke afstand tussen de gelovigen omdat iedereen gelijk is: de koning bidt naast de taxichauffeur.

Mannelijke en vrouwelijke bezoekers dienen zich behoudend te kleden, met bedekte armen en benen. Ook dienen vrouwen hun hoofd te bedekken met een hoofddoek.

De Jumeirah Mosque staat ook op het bankbiljet van 500 Dh.

168 B4 Beach Road
353 6666 Rondleidingen voor niet-moslims op di, do en zo met een gids van het Sheikh Mohammed Centre for Cultural Understanding

Links en rechts: Bezoekers van de Jumeirah Mosque krijgen een waardevol inzicht in het moslimgeloof

2 Dubai World Trade Centre

Het Dubai World Trade Centre heeft één enkele, maar belangrijke aanspraak op roem. Dit 149 m hoge gebouw met honingraatmotief was met zijn voltooiing in 1979 de eerste wolkenkrabber van Dubai. Sinds dat jaar en vanaf dat punt rukken steeds ingewikkeldere wolkenkrabbers op langs Sheikh Zayed Road, nu culminerend in het Marina-project.

Het ziet er misschien gedateerd uit, maar de toren van het Dubai World Trade Centre was de voorloper van het moderne Dubai. Het vervult nog steeds een nuttige functie: in zijn 39 verdiepingen huisvest het een redelijk geprijsd hotel (➤ Novotel pagina 99) en de consulaten van Australië, Italië, Japan, China, Zwitserland, Turkije en de VS. Het Arabic Language Centre, ook gevestigd in het World Trade Centre, biedt cursussen Arabisch aan voor beginners en meer ervaren arabisten. Om te zien hoe ver Dubai het in 25 jaar gebracht heeft, trekt u een briefje van 100 Dh tevoorschijn en houdt u de afbeelding van het Dubai World Trade Centre die erop staat naast de nieuwste wolkenkrabber van de skyline van Dubai en het hoogste gebouw ter wereld: de Burj Dubai Tower (➤ 96).

---

168 C2

Dubai World Trade Centre: de eerste in zijn soort

3 Emirates Towers

De twee Emirates Towers zijn de sterren van de architectura-le 'hall of fame' van Dubai. Ze staan bij de inrit van Sheikh Zayed Road en trekken de aandacht met een buitengewoon charisma en een science-fictionachtige bovennatuurlijkheid

Naast het Dubai World Trade Centre kon het contrast niet groter zijn: de eerste wolkenkrabber van de stad behoudt een zekere jaren zeventig-charme, maar de Emirates Towers zijn op dit moment de fascinerendste creatie van Dubai. Ja, het Burj Al Arab-hotel imponeert en de Burj Dubai is adembenemend. Hun verhouding verandert gaandeweg als uw standpunt verandert; vanuit de ene hoek omhelzen ze elkaar, dan weer draaien ze van elkaar weg. Hun scherpe toppen symboliseren de drang van Dubai succesvol te zijn. De grootste toren, ontworpen door de Norr Group, werd in 1999 voltooid op de officiële hoogte van 354,6 m. Zijn kleinere broertje (305 m en 56 verdiepingen) werd op 15 april 2000 vijf maanden later voltooid. Het is het op één na hoogste bouwwerk ter wereld dat alleen een hotel herbergt (➤ 112 voor het hoogste gebouw, de Burj al Arab), gewijd aan het Emirates Towers Hotel. De twee torens zijn verbonden door een 810 m² ondergronds winkelcentrum, The Boulevard, dat een ruime keus aan winkels heeft, maar zich niet kan meten met de naburige winkelcentra BurJuman en Wafi City. U moet echt een bezoekje brengen aan Vu's bar (➤ 103) op de 51e verdieping; het uitzicht 's avonds op een glinsterende Sheikh Zayed Road maakt de prijs bijna aanvaardbaar. Een alternatief is de Zen-tuin aan de voet van de Emirates Towers, de perfecte plek om te mediteren over Dubai, de bakermat van de moderne wolkenkrabber.

168 B2 Sheilh Zayed Road
330 0000; www.jumeirahemiratestowers.com

Met hun gestalte hebben de Emirates Towers een fascinerende aanwezigheid

4 Zabeel Park

Laat het winkelen en het bekijken van bezienswaardigheden in de binnenstad even achter u met een wandeling door dit hightechpark. Door landschapsarchitectuur verfraaide tuinen zijn gecombineerd met ultramoderne attracties.

Het mag dan op een ongunstige locatie liggen aan weerskanten van een druk knooppunt aan het begin van Sheikh Zayed Road, maar Zabeel Park is om diverse redenen opvallend. Het is het eerste technologische themapark in het Midden-Oosten en is in het bezit van de eerste hangbrug van Dubai, een aantrekkelijk, gekromd ontwerp over Sheikh Zayed Road heen. Het project kostte 200 miljoen dirham en werd geopend in december 2005, waarmee het de bewoners, het winkelpubliek en de toeristen een groene onderbreking gaf van de binnenstad van Dubai. Een groot deel van het geld is besteed aan landschapsarchitectuur voor het 47 ha metende park en het resultaat is prachtig, met een overvloed aan palmen en struiken in een uitvoerig bewerkte topografie met zeer weinig rechte lijnen.

De ingang van het park ligt bij het grootste parkgedeelte aan de noordelijke kant van Sheikh Zayed Road en is het beste te bereiken met een taxi, hoewel er genoeg parkeerruimte is.

Zabeel Park is een oase in een betonjungle

In dit deel van Zabeel Park huisvest de Stargate-koepel een IMAX-scherm en wordt het eivormige Megabowl-amfitheater met plaats voor 2000 personen gebruikt om onderdak te bieden aan live muziekshows. Kinderen zullen genieten van de Space Maze, gebaseerd op het planetensysteem, aan een kant van de Stargate-koepel. Net als in het Creekside Park (► 68) zijn er barbecuegedeeltes, met picknicktafels en banken, waar bezoekers hun eigen eten kunnen klaarmaken, of u kunt eten bij een van de diverse eethuisjes in het park. Hoewel er entree wordt geheven, zijn de meeste attracties als u eenmaal in het park bent gratis, zoals de atletiekbaan die om het grootste deel van het park heen ligt. Ga de brug, die aan een 52 m hoge paal en 16 stalen kabels hangt, over om in het zuidelijke deel van het park te komen. Dit wordt gedomineerd door een meer waarop u kunt varen, compleet met een geiser-fontein die elke 20 minuten uitbarst tot een hoogte van 20 m, een kleine waterval en een eiland met zijn eigen tuinhuisje. U kunt waterfietsen, roeiboten en fluister-boten huren. Aan deze kant van het park kunnen kinderen hun energie kwijt in de Assault Course of meedoen met cricket op het mini-cricketveld. Een midgetgolf-baan is een bedaardere optie: huur uw clubs aan het loket. Om het futuristische gevoel te vergroten kunnen bezoekers een tweewielige Segway huren om door het park te rijden (100 Dh per uur). U heeft wel evenwichtsgevoel nodig: ga op het platform staan en leun naar voren om het apparaat in beweging te krijgen. Voor degenen die zulke gimmicks maar niks vinden, puft er een autotreintje door het park. Hoewel er veel aandacht is besteed aan de ontwikkeling van Zabeel Park en het een welkome lap groen is in het hart van Dubai met zijn hoogbouw, is Creekside Park een betere plek voor een bijzonder dagje uit. Maar als u toch al in de binnenstad bent, is het een uitstekende plek om twee of drie uur te verkennen.

169 D1 · Zabeel · Dagelijks 8-23 · Duur

5 Majlis Ghorfat Um Al Sheef

Het mag er dan onopvallend uitzien, dit erfgoedgebied illustreert hoe plaatselijke bewoners zelfs tot voor kort, in de jaren vijftig en zestig, woonden. In een tijd van twintig jaar schakelden de Emirati's over van windtorens op airco, van het verzamelen van regenwater op ontziltingsinstallaties.

De meeste huizen hadden een *majlis*, een ontmoetingsplek en ruimte voor het ontvangen van gasten. Maar de Majlis Ghorfat Um Al Sheef is een belangrijkere plek dan de meeste, en is daarom gerestaureerd. Hier vonden eind jaren vijftig besprekingen plaats over de toekomstige weg die Dubai zou inslaan, besprekingen die misschien wel behandelden hoe Dubai de olie-inkomsten zou gaan vervangen door handel en toerisme.

Het complex is gebouwd in 1955 en werd gebruikt als zomerverblijf door wijlen sjeik Rashid bin Saeed Al-Maktoum. In die tijd was het gebied begroeid met dadelpalmen en woonden er vissers in hutjes aan zee. Tegenwoordig is de Majlis omgeven door voorstedelijke villa's en het kan u misschien niet bepaald in vervoering brengen, maar het laat zien hoe mensen van de vorige generatie leefden.

De binnenhof heeft een traditioneel irrigatiesysteem (een geïrrigeerde tuin wordt een *falaj* genoemd), dat laat zien hoe water door een reeks getrapte kanalen liep. Er is ook een vijver, een tuin en een traditionele palmschuilplaats, die nu gebruikt wordt om een frisdrankautomaat te beschutten.

De Majlis is een gebouw van twee verdiepingen, met een open veranda (*rewaaq*) op de begane grond en boven een *majlis*, compleet met kussens, tapijten en voorzieningen om thee te zetten. De muren zijn gemaakt van koraal en gips, de deuren en raamkozijnen van massief teakhout. In de traditionele Arabische architectuur vloeit de vorm voort uit de functie, en een windtoren leidt verkoelende briesjes de kamer in.

166 bij A4 · Aangegeven vanaf de hoek van Beach Road en 17th Street, bij de HSBC-bank · 394 6343 · Za-do 9-24, vr 15.30-20.30 · Duur

De Majlis illustreert hoe de Emirati's nog maar een generatie geleden woonden

6 Nad Al Sheba en Godolphin Gallery

Almutawakel, Street Cry en Dubai Millennium: allemaal winnaars van de duurste prijs van de wereldpaardenrennen, de Dubai World Cup van 6 miljoen dollar, die elk jaar in maart gehouden wordt op Nad Al Sheba. En ze zijn allemaal bezit van en getraind door Godolphin, de privérenstal van de familie Maktoum.

Het is moeilijk de liefde van de Maktoums voor paarden en paardenrennen te overdrijven, en de renbaan van Nad Al Sheba en de nabijgelegen Godolphin Gallery bevestigen deze obsessie. Race Night op Nad Al Sheba – het seizoen loopt van oktober tot april – zou een verplicht onderdeel moeten zijn voor iedereen die Dubai bezoekt tijdens de winter. De toegang en het parkeren zijn gratis (behalve tijdens de Dubai World Cup-koers) en de start is om 19.00 uur. Bezoekers dienen zich netjes te kleden en een daglidmaatschap te kopen om het clubhuis binnen te mogen, maar het uitzicht op de verlichte baan is buiten net zo goed. De renbaan zelf heeft een 2000 m lange turfbaan aan de binnenkant van een zandbaan (2200 m), die langs de rolvormige tribune loopt. De

Onder: De avondrennen op Nad Al Sheba zijn spannende evenementen

onwettigheid van gokken in de Verenigde Arabische Emiraten wordt omzeild door het weggeven van prijzen voor het correct voorspellen van koersuitslagen.

Heel Dubai komt naar het World Cup-evenement en als u een plekje kunt vinden tussen de 50.000 toeschouwers is het een geweldige gelegenheid om naar zowel mensen als paarden te kijken. Zelfs degenen die maar weinig interesse hebben in paardenrennen worden wellicht overgehaald door de Godolphin Gallery, een slim bedachte verheerlijking van paarden, racen en winnen, met een trofeeëngalerij, bioscoop, presentaties met aanraakscherm en gedetailleerde geschiedenissen van de succesvolste paarden van de Maktoums.

Boven: De Godolphin Gallery is genoemd naar een beroemd paard uit de 18e eeuw
Rechtsonder: Een standbeeld op de trap van de galerie

De Gallery werd geopend op Dubai World Cup Day in 1999 en is, net als de stal, vernoemd naar een paard: de Godolphin Arabian (► 11). De vierkante expositieruimte is chronologisch ingedeeld in kleinere zalen, die links van de ingang beginnen In het midden is een bioscoop waar een enigszins poëtisch geproduceerde film wordt vertoond over het trainen van de paarden van de sjeik in zowel Dubai als Engeland, waar Godolphin een stal heeft in de buurt van Newmarket.

Speciale paarden hebben hun eigen vitrines in de zalen, met een ereplaats voor Dubai Millennium (► 11). Overal waar u kijkt, staan trofeeën; in oktober 2005 werd Highlander Godolphins 1000e winnaar. Frankie Dettori, de jockey in dienst van Godolphin, won alleen al 467 van de 1449 koersen. Maar de grootste trofee van de internationale paardenrennen, de Dubai World Cup van 5,2 kg, wordt ook tentoongesteld in de Gallery in een aparte ruimte. Of u nu van paardenrennen houdt of niet, een rondgang door de Gallery is de moeite waard en misschien neemt u wel iets van de passie van de Maktoums voor de dieren mee.

Rondleiding door de stallen van Nad Al Sheba

Het loont om er aan de vroege kant te zijn voor de rondleiding, waarbij een compleet ontbijt is inbegrepen. Het hoogtepunt is echter het kijken naar de vroege ochtendgaloppade (alleen sept-maart) als men de eersteklas volbloeden van sjeik Mohammed laat draven.

Op een neveli-

ge ochtend, voordat de zon de dagtemperatuur omhoog jaagt, is het een prachtig gezicht; bedenk dat u kijkt naar dieren die enkele miljoenen dirhams waard zijn, elk ervan liefdevol verzorgd door de stalknechten in livrei. Bij de rondleiding zijn ook een wandeling over de Millennium-tribune en een bezoek aan de Godolphin Gallery inbegrepen.

Zenuwslopende actie op Nad Al Sheba

167 bij E1

Nad Al Sheba Race Night
Nad Al Sheba ligt 5 km ten zuiden van centraal Dubai en is het beste te bereiken vanaf de Al Ain-Dubai-weg. Het wordt aangegeven vanaf Interchange 1 en Interchange 2 op Sheikh Zayed Road
332 2277; www.dubairacingclub.com

Godolphin Gallery
336 3031; www.godolphin.com
Ma-zo 9-17, wedstrijdavonden op Nad Al Sheba, 9-20

Rondleiding stallen
336 3666; www.nadalshebaclub.com
Ma-wo, za 7, sept-jun Duur

NAD AL SHEBA: INFORMATIE UIT DE EERSTE HAND

Beste tips Als u de kamelen niet hebt zien racen (➤ 95), kunt u de weg oversteken en ze bekijken in de kamelenboerderijen waar ze gefokt en gevoerd worden. De zanderige sporen op de weg zijn onmiskenbaar, of u kunt een groep kamelen volgen als ze terugkomen van de race.

Breng nadat u Nad Al Sheba bezocht hebt de rest van de dag door met het bekijken van de bezienswaardigheden aan dezelfde kant van Sheikh Zayed Road: het Falcon and Heritage Sports Centre (➤ 95-96) en de Burj Dubai Tower (➤ 96-97).

Op uw gemak

7 Kamelenraces op Nad Al Sheba

Paarden zijn niet de enige dieren die voor spanning zorgen op Nad Al Sheba. Kamelenraces zijn al sinds lange tijd geliefd amusement van Emirati's en de kamelenrenbaan van Nad Al Sheba is elke ochtend een en al bedrijvigheid. Het seizoen loopt van november tot april en op donderdag en vrijdag zijn er races vanaf 7.00 uur; de actie is voorbij om 8.30 uur. Tijdens de rest van de dag kunt u zien hoe kamelen getraind worden op de renbaan; kleine groepjes kamelen worden over de Al Ain-weg geleid naar hun stallen in de woestijn. Een racekameel is kleiner en sneller dan een gewone kameel en kan enkele miljoenen dirhams kosten. Vroeger werden ze geleid door kleine kinderjockeys, meestal geworven uit India of Pakistan, maar deze gewoonte is verboden en alle jockeys dienen ouder dan 15 jaar te zijn, meer dan 35 kg te wegen en inwoner te zijn van de Verenigde Arabische Emiraten. De afgelopen jaren heeft men succesvol radiografisch bestuurde robot-alternatieven voor menselijke jockeys getest: u ziet dan een apparaat ter grootte van een aap met een ronddraaiende zweep op de rug van de kameel vastgebonden zitten. Een operator volgt de kameel tijdens de race en bedient de robot met een joystick.

Rechtsboven: In het Falcon Centre vinden demonstraties van traditionele sporten plaats

Naast de stoffige renbaan verkoopt de kamelenmarkt van Nad Al Sheba alle denkbare accessoires die met kamelen te maken hebben, waaronder aanlokkelijke, multifunctionele dekens.

167 bij E1

Nad Al Sheba ligt 5 km ten zuiden van centraal Dubai en is het beste te bereiken vanaf de Al Ain-Dubai-weg. Het wordt aangegeven vanaf Interchange 1 en Interchange 2 op Sheikh Zayed Road

Do-vr 7-8.30 Gratis

8 Falcon and Heritage Sports Centre

Sla als u het kamelenrace-gedeelte op Nad Al Sheba verlaat rechtsaf naar het nieuwe Falcon and Heritage Sports Centre. Dit nieuwe gebouw, ontworpen om traditionele Arabische

JUMEIRAH-OOST: INFORMATIE UIT DE EERSTE HAND

De aannemers waren zo vastbesloten om te garanderen dat hun toren het hoogste gebouw ter wereld zou worden, dat ze op een gegeven moment overwogen om er hydraulisch een spits op te zetten voor het geval een concurrent hen zou overtreffen. Maar eenmaal voltooid ziet het ernaar uit dat de toren erop kan vertrouwen gekroond te worden tot nieuwe koning van het hoogste door de mens gemaakte gebouw ter wereld. En het wonder zal evenmin van korte duur zijn, zelfs al wordt het van de troon gestoten: het is ontworpen om 100 jaar mee te gaan
Veel operators bieden vogelwaarnemingstours (➤ 156) aan voor als u na uw bezoek aan het valkerijcentrum meer vogelsoorten van de VAE in het wild wilt zien.

architectuur op vergrote schaal na te bootsen, herbergt winkels en een in tenten ondergebrachte expositieruimte gewijd aan valkerij en andere traditionele sporten van de Arabische elite; buiten worden vliegshows gegeven. Valkerij heeft een trouwe schare volgelingen in Dubai en sommige vogels kosten wel 150.000 Dh.

167 bij E1
Naast de kamelenracebaan op Nad Al Sheba ☎ 338 0201
Openingstijden variëren
Goedkoop

9 Burj Dubai

Ten tijde van het schrijven van deze gids groeide de Burj Dubai (Dubai Tower) elke dag, verdieping voor verdieping. Als het voltooid is, zal het het hoogste door de mens gemaakte gebouw ter wereld zijn, hoewel niemand nog zeker weet wanneer de bouwers zullen stoppen met betongieten: het vermoeden is ergens tussen 700 en 900 m. Eén ding is zeker: de Burj Dubai zal het meest verbazingwekkende gebouw van Dubai zijn, misschien wel van de wereld. Architect Adrian Smith van Skidmore, Owings & Merrill kreeg het idee voor de Y-vormige basis van de toren door de bloemblaadjes van een woestijnbloem. De drievoudig gelobde vorm helpt bovendien de krachtige winden van het gebied te weerstaan, terwijl een buitenlaag van reflecterende ruiten en platen van staal en aluminium bestand zal zijn tegen de moordende zomerhitte van Dubai. Enkele details over wat

Burj Dubai krijgt langzaam gestalte

binnen in de toren zal komen, zijn bekend. Een Giorgio Armani-hotel zal verscheidene benedenverdiepingen bezetten. Boven het hotel komen particuliere appartementen – waarvan er véél binnen 8 uur verkocht waren. Op de 124e verdieping zal een uitkijkpunt komen. De toren zal omgeven worden door een meer en winkel-, amusements- en woningbouwprojecten waarmee het de Marina van Dubai naar de kroon steekt.

De projectontwikkelaars wijzen erop dat wanneer Burj Dubai voltooid zal zijn, het voor het eerst is dat het Midden-Oosten het hoogste gebouw ter wereld heeft sinds 1300, toen de Britse Lincoln Cathedral die eer overnam van de Grote Piramide van Gizeh in Egypte, die de titel 38 eeuwen lang in bezit had.

167 D2 Bij Interchange 1, Sheikh Zayed Road www.burjdubai.com

10 Jumeirah Beach Park

Het entreegeld van 5 Dh is het zeker waard. Op vrijdag is het park erg druk met plaatselijke bewoners die van het strand genieten, spelletjes spelen in de tuinen of barbecuen. Eten en drinken worden ook verkocht aan de kiosken. Strandwachten patrouilleren van 's ochtends vroeg tot zonsondergang; het is niet toegestaan na dit tijdstip te gaan zwemmen.

166 B5 Beach Road, Jumeirah 349 2555 Dagelijks 8-23 Duur

11 Safa Park

In Safa Park ligt de nadruk op vermaak, met botsauto's, trampolines, een hindernisbaan en een klein reuzenrad. Conventionele activiteiten zijn ook mogelijk – volleybal, voetbal, basketbal en tennis – en u kunt fietsen huren om door het grote park te fietsen. Door de diverse speelgedeeltes voor kinderen is Safa Park zeer geliefd bij gezinnen en kan het in het weekend druk zijn.

166 A3 Al Wasl Road Dagelijks 8-23, di alleen vrouwen 349 2111 Duur

Geniet van een picknick of barbecue in Jumeirah Beach Park

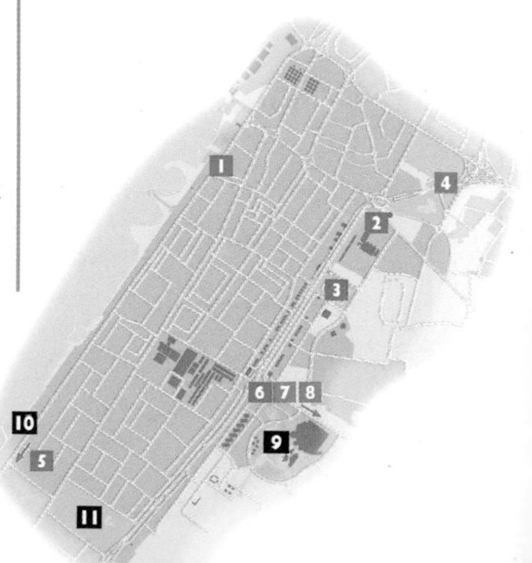

Waar... Verblijven

Prijzen
Voor een tweepersoonskamer per nacht
€ 150Dh–600Dh **€€** 600Dh–1500Dh **€€€** 1500Dh–10.000+Dh

Crowne Plaza Dubai €€€

De meeste hotels op dit stuk van Sheikh Zayed Road zijn gericht op zakenreizigers, maar het Crown Plaza probeert met scherpe prijzen en een praktische keus aan bars, restaurants en nachtclubs vakantiegangers te trekken.

168 B2 ✉ Sheikh Zayed Road ☎ 331 1111; www.ichotels.com

Dubai Marine Beach Resort and Spa €€

Dit is het strandresort dat het dichtste bij het handelscentrum van Dubai ligt en het is net iets minder duur dan de resorts verderop langs de kust. Er zijn 195 comfortabele kamers, van eenpersoonskamers tot suites, in 33 villa's verspreid over een aantrekkelijk complex. Ze zijn comfortabel, zij het enigszins overdadig ingericht.

Gasten kunnen kiezen uit 12 bars en restaurants, waaronder de hippe bar Sho Cho (➤ 103), tex-mex-restaurant The Alamo en de rumoerige Malecon in Cubaanse stijl, waar de hoofdattractie de Latino-muziek en -dansen zijn in plaats van het fusion-eten. Met een kuuroord, fitnesscentrum, drie zwembaden en zijn eigen stuk strand toont het Dubai Marine Beach Resort wellicht zijn leeftijd, maar u krijgt er waar voor uw geld.

168 B4
✉ Beach Road, Jumeirah
☎ 346 1111;www.dxbmarine.com

Dusit Dubai €€–€€€

Ook het tweebenige Dusit is een spectaculair gebouw. Het stelt twee tegen elkaar gedrukte handen voor, als in een Thaise begroeting.

Het Aziatische thema wordt ook gevolgd door personeel in sarongs en het interieurontwerp. Het is voordeliger dan het Shangri-La (➤ 99) of het Fairmont (onder) en de 321 kamers zijn heerlijk comfortabel. Onder de faciliteiten vallen een openluchtzwembad op de 36e verdieping, een kleine fitnessruimte en diverse restaurants.

167 E2 ✉ Sheikh Zayed Road ☎ 343 3333; www.dusit.com

The Fairmont €€€

Het 34 verdiepingen tellende Fairmont, vaak aangemerkt als het voornaamste zakenhotel van Dubai, heeft vakantiegangers veel te bieden, waaronder enkele zeer gewilde restaurantplaatsen bij de Exchange Grill (➤ 100) en Spectrum on One (➤ 101), twee zwembadetages – een voor de zonsopgang, een ander voor de zonsondergang – en een kuuroord. Het nachtleven, in Cin Cin en de Tangerine (➤ 103), is ook uitstekend. De slaapkamers zijn smaakvol en modern ingericht, en zakelijke gasten kunnen gebruikmaken van geavanceerde faciliteiten, waaronder draadloos internet in alle openbare ruimtes.

Het Fairmont lijdt niet aan de uniformiteit van andere internationale ketens en, ondanks de omvang, is de service door het personeel uitstekend.

168 B2 ✉ Sheikh Zayed Road ☎ 332 5555; www.fairmont.com

Ibis €€

Voor voordelig logies is het Ibis bijna niet te overtreffen. Op het eerste gezicht lijkt het niets bijzonders: de kamers zijn schoon, praktisch en comfortabel maar niet erg ruim, en voor het ontbijtbuffet moet u apart betalen. Maar er zijn enkele pluspunten, zoals het meubilair van Philippe Starck en een aantal stijlvolle bars en restaurants die het hotel het geld meer dan waard maken.

168 C2 ✉ Dubai World Trade Centre ☎ 332 4444; www.ibishotel.com

Jumeirah Beach Club Resort and Spa €€€

Dit juweeltje van een resort, misschien wel het rustigste gebouw van Jumeirah, heeft slechts 50 suites en de gasten kunnen twee zwembaden (met muziek onder water) delen, drie squashbanen, zeven tennisbanen, twee volleybalvelden, een watersportcentrum en een kuuroord (➤ 104).

166 B4 ✉ Beach Road, Jumeirah ☎ 344 5333; www.jumeirahbeachclub.com

Al Murooj Rotana Hotel €€€

Het Al Murooj, een overladen roze taartje aan de woestijnkant, zit op de eerste rij voor de Burj Dubai Tower. Laat u niet afschrikken door de onpersoonlijke, met glas beklede foyer; de 253 kamers en suites zijn modern ingericht en hebben alle faciliteiten. Het heeft 10 restaurants en twee etablissementen aan een zwembad.

167 E2 ✉ Al Saffa Street ☎ 321 1111; www.rotana.com

Novotel €€

Het Novotel is voor bezoekers die hun hotel uit willen en de stad willen bekijken. Zakenreizigers zullen tevreden zijn met de faciliteiten, maar vakantiegangers zullen het zwembad aan de kleine kant vinden.

168 C2 ✉ Dubai World Trade Centre ☎ 332 0000; www.novotel.com

Shangri-La €€€

Van alle luxe hotels in Dubai is het 41 verdiepingen tellende Shangri-La een van de stijlvolste. De toon wordt gezet door de duizelingwekkende avant-gardistische foyer en wordt doorgetrokken naar de weelderige slaapkamers. Met een druk op de knop doet u uw gordijnen open met daarachter een van de mooiste uitzichten op Sheikh Zayed Road.

U krijgt voorrang bij het reserveren in de drukke restaurants van het hotel, Amwaj (rechts) en Hoi-An (➤ 100). Er zijn een zwembad met bar, ligstoelen op het dak, een fitnessruimte en een kuuroord.

167 E2 ✉ Sheikh Zayed Road ☎ 343 8888; www.shangri-la.com

Waar... Eten en drinken

Prijzen
Per persoon per driegangenmaaltijd, exclusief drank en bediening
€ minder dan 60 Dh   €€ 60 Dh-100 Dh   €€€ meer dan 100 Dh

Amwaj €€€

Dit zeevruchtenrestaurant met open keuken is een van de topbestemmingen op dit gebied in Dubai. Amwaj is een van de meest gewilde dineerplaatsen van Dubai, dus reken op bijbehorende prijzen. De zalige desserts, zoals panna cotta met pitaya, zullen de klap van de rekening verzachten. De brunch op vrijdag biedt echter een overvloedig buffet voor een relatief schappelijke prijs.

167 E2 ✉ Shangri-La, Sheikh Zayed Road ☎ 405 2703 Zo-vr 12-15, 19-24

Double Decker

Double Decker is de voordelige en vrolijke pub van het Al Murooj Rotana-hotel (➤ 99) met Londen als thema. U kunt beneden eten en boven drinken. Met de brunch, geserveerd van 12.00-17.00 uur, krijgt u bijzonder waar voor uw geld. Het eten is eenvoudige Britse kost, dus verwacht geen culinaire fantasiegerechten.

167 E2 ✉ Al Murooj Rotana, Al Saffa Street ☎ 321 1111

The Exchange Grill €€€

The Exchange is opgeknapt in 2005. De onovertrefbare steaks en een uitmuntende wijnkaart zorgen voor een warme gloed. De specialiteiten blijven rundvlees van hoge kwaliteit, maar er zijn alternatieven voor vegetariërs. Dit is een van de verfijndere restaurants van het Fairmont: voor een levendiger avondje uit gaat u naar Spectrum on One.

168 B2 Fairmont Hotel, Sheikh Zayed Road 332 5555 Dagelijks 19-1

Hoi-An €€€

In een eetzaal in een overtuigende Saigon-stijl met plafondventilatoren en groene vensterluiken brengen serveersters in zijden kleding u heerlijke Vietnamese gerechten. Onder de voorgerechten vallen Saigonese ventersssoep, een heldere bouillon met doorschijnende vermicelli, kip en zwarte paddenstoelen, en Dungenesskrab gebakken in groene bamboe. Als hoofdgerecht is de geroosterde kip met citroengras een smakelijke keus. Hoi-An is een hoogstaand restaurant dat een assortiment van 10 theesoorten kan serveren.

167 E2 Shangri-La, Sheikh Zayed Road 405 2703 Dagelijks 19-1

The One Café €

The One, naast de Jumeirah Mosque, is een lifestylewinkel die woningtextiel, keukengerei en andere huishoudelijke artikelen verkoopt. Het eethuis van de winkel, op de eerste verdieping, is een passende trendy plek voor het inventieve en appetijtelijke menu. Er zijn hapjes van salades tot broodjes tot warme gerechten en de kwaliteit is ruim boven het gemiddelde. Als drankjes zijn er versgeperste vruchtensappen.

168 B4 Jumeirah Beach Road 345 6687; www.theoneme.com Za-do 9-21, vr 14-21

Johnny Rockets €€

Johnny Rockets, de Amerikaanse franchisegever, is een groeiende hamburgerzaak in Dubai. In het kleine Amerikaanse restaurant is de jarenvijftig-stijl uitstekend gerealiseerd. Maar gelukkig zijn de hamburgers ook heerlijk en overtreffen de rest van de menukaart. Probeer de Smokehouse hamburger met Tillamook-kaas en een rokerige saus. Omdat Johnny Rockets geen drankvergunning heeft, zult u zich moeten beperken tot spuitwater en cola. Er zijn andere filialen in het nieuwe jachthavencomplex (► 130) en in de Mall of Emirates.

168 B4 Jumeirah Centre, Beach Road 344 7859 Za-do 12-24, vr 13-24

Latino House €€€

Het in 2006 geopende Latino House is een bijzonder steakhouse. Alle gerechten zijn geïnspireerd op Zuid-Amerika, zoals kreeft-aardappelsalade met aardbeiendressing uit Colombia als voorgerecht en een Argentijnse steak met knapperige groenten en cassave als hoofdgerecht. Als dessert heeft de Venezolaanse chef-kok Issam Koteich Tres Leches geïntroduceerd, een traditionele Venezolaanse melkcake. Kies of u beneden aan een wenteltrap wilt zitten of buiten aan het zwembad.

167 E2 Al Murooj Rotana, Al Saffa Street 321 1111 Dagelijks 19-23.30

Lime Tree Café €

Hoewel deze favoriet van Dubai stijlvol is ingericht met lime-groene muren en donker houten meubilair is het buitengewoon goede eten de verklaring voor de populariteit van de Lime Tree. Men vaart een mediterrane koers met sandwiches van focaccia gevuld met gegrilde groenten en ricotta of kip en pesto aïoli. Er worden ook panini's, wraps en een dagelijks veranderende keus aan salades verkocht en u kunt rekenen op een aantal Arabische smaken, zoals couscous of halloumi-kaas. Als u de lunch mist (en het is erg druk in het weekend), neem dan gewoon een glas versgeperst vruchtensap of een kop koffie en een royale plak zelfgebakken cake op het terras. De beste plek in Jumeirah voor een hapje tussendoor.

168 B4 Bij Jumeirah Mosque, Beach Road 349 8498 Gehele dag

Al Nafoorah €€

Dit is een van de beste Libanese restaurants van de stad. Het eten wordt bereid naar vakkundige maatstaven: u kunt voortreffelijke warme en koude *meze* verwachten. Besluit het dessert – meestal met dadels, honing en Arabische zoetigheid – met een trekje aan een waterpijp.

168 B2 The Boulevard, Emirates Towers, Sheikh Zayed Road 319 8088 Dagelijks 12.30-15, 20-23.30; vr lunch 13-15.30, 20-23.30

The Noodle House €

Voor fastfood zonder frietjes is The Noodle House-keten een uitstekende en gezonde keus. Er zijn filialen in veel van de grotere winkelcentra in Dubai. Deze zit in het winkelcentrum onder het Emirates Towers-hotel. Het geven van een plaats gebeurt volgens het 'wie het eerst komt, die het eerst maalt'-principe aan lange, donker houten schragentafels. De inrichting van het interieur volgt een elegant, zwart-rood oosters thema, geanimeerd door een open keuken en vriendelijk personeel. Bestellen is heel eenvoudig. Kruis gewoon de gerechten van uw keuze aan op de menukaart die op elke tafel ligt. Het zal u niet verbazen dat noedels de basis vormen van veel gerechten, maar u kunt ze in uw soep krijgen, zoals een garnalenknoedelsoep, of gebakken. Noodle Houses zijn de beste keus qua fastfood in de stad, perfect voor de lunch.

168 B2 Boulevard Mall, Emirates Towers, Sheikh Zayed Road 330 0000; www.thenoodlehouse.com Za-do 10-22, vr 16-22

Prasino's €€€

Prasino's, een elegant eethuis op een terras aan zee, is een geweldige plek voor een bijzondere maaltijd. Het eten, van een klein maar uitgebalanceerd mediterraan menu, biedt met gemak het hoofd aan het adembenemende uitzicht over de Golf en is scherp geprijsd. Tijdens de relaxte brunch op vrijdag, waar u voor 50 Dh extra alle mousserende wijn krijgt die u lust, is er live jazzmuziek.

166 B4 Jumeirah Beach Club Resort, Beach Road, Jumeirah 344 5333 Dagelijks 12.30-15, 19.30-23

Spectrum On One €€€

In het drukste restaurant van het Fairmont, dat u bereikt via een één-stopslift bijna achter in de foyer, vindt u altijd wel iets tongstrelends. Het is de meest relaxte van de eetzalen van het hotel en trekt veel mensen die geen hotelgast zijn, waardoor er een behoorlijk geroezemoes is.

De globetrottende keuken beslaat de vier uiteinden van de wereld, van China, Thailand, India en Japan tot Europa via Arabië. De zitplaatsen zijn geordend op regio en er zijn acht open keukens waar u kunt zien hoe de chef-koks sushi rollen, sauzen roeren of vlees grillen. De kwaliteit van het eten is uitstekend; u kunt de gerechten zelf samenstellen, maar de Thaise curry's zijn een betrouwbare optie, terwijl veel Europese gerechten, zoals Noorse zalm met 'gesmolten' prei, peultjes en romige mierikswortelsaus ook de verwachtingen overstijgen. Er zijn voorgerechten die u kunt delen, zoals Arabische *meze*. Het restaurant gaat speciaal open voor de onmisbare brunch op vrijdag, met onbeperkt champagne.

168 B2
Fairmont Hotel, Sheikh Zayed Road
311 8000
Dagelijks geopend 19-1

Wagamama €€

Er hebben zich diverse internationale ketens gevestigd in het Crown Plaza-hotel, waaronder TGI Friday's, maar Wagamama, de Japanse noedelexperts, is de beste keus. Gerechten van het wereldmenu worden goed bereid en de bediening is goed. Wagamama is geschikt voor een snelle, voordelige maaltijd en de schragentafels en banken worden gedeeld met andere eters.

168 B2
Sheikh Zayed Road
305 6060; www.wagamama.ae
Dagelijks 12-24

Waar... Winkelen

De winkelcentra in dit oudere deel van Jumeirah lopen een paar jaar achter op die aan de andere kant van de stad. Ze kwamen plotseling op om aan de vraag van plaatselijke bewoners in plaats van die van toeristen te voldoen, wat betekent dat u er niet per definitie de grote designermerken vindt, maar wel interessantere winkels. De winkelcentra zijn ook kleinschaliger, dus etalages kijken is minder uitputtend dan in de megawinkelcentra. Qua ontwerp zijn de meeste winkelcentra verfrissend ongekunsteld. Een uitzondering hierop is Mercato. Dit winkelcentrum is een bijzonder eerbetoon aan klassiek Toscaanse en Venetiaanse architectuur, met balkons, overwelfde doorgangen en veel marmer achter een roze voorgevel.

Palm Strip

Het enige openluchtwinkelcentrum van Dubai heeft een Starbucks en een Japengo Café, plus goede kleding van Karen Millen en de Spaanse winkel Mango. Maar het is niet de plek om hartje zomer te gaan winkelen.

168 B4 Beach Road 346 1462 Za-do 10-22, vr 17-22

The Village

Laat uw kinderen spelen in het Peekaboo-speelgedeelte terwijl u enkele van de ongewonere boetieks van de stad gaat verkennen, of zich ontspant in de sensationele SensAsia Urban Spa. The Village bedient de lokale gemeenschap, dus u vindt er winkels die niet in de grotere winkelcentra zitten, zoals bloemisten, een postkantoor en strandkledingwinkels. Het interieurontwerp is ook ontspannend, met waterelementen en heesterperken.

168 B4 Beach Road 344 7714 Za-do 10-22, vr 16-22

Jumeirah Plaza

In dit roze geverfde winkelcentrum zit een eclectische verzameling winkels, waaronder een goede tweedehandsboekenwinkel, een Dome-eethuis en een kiosk van Dubai Police.

168 B4 Beach Road, tegenover Jumeirah Mosque 349 7111 Za-do 10-22, vr 17-22

Town Centre Jumeirah

Schoonheidsproducten zijn een specialiteit van de winkels in dit kleine winkelcentrum, waaronder een Nail Station en SOS Salon. Neem een voetmassage bij Feet First voordat u verder winkelt.

167 E4 Beach Road, naast Mercato 344 0111; www.towncentrejumeirah Za-do 10-22, vr 16-22

Magrudy's

Magrudy's is het bekendst als boekenwinkel. Het heeft de grootste collectie titels van Dubai en er zijn verscheidene filialen verspreid over de stad. Maar er zijn ook andere redenen om het Magrudy's-complex binnen te stappen, waaronder een apotheek, een reformwinkel en Gerard's, een befaamde patisserie.

168 B4 Beach Road, bij Jumeirah Mosque 344 4193; www.magrudy.com

Mercato

Er zijn ruim 90 winkels gevestigd in dit nieuwe winkelcentrum, waaronder de grootste Virgin Megastore van Dubai, een supermarkt van Spinney's en een bioscoop met zeven schermen. Er is een Early Learning Centre voor kinderen. Tieners krijgen meer keus met Miss Sixty en Diesel. Ook worden er artikelen voor in huis verkocht door een filiaal van het hippe KAS Australia en tapijtwinkels. Op de bovenste verdieping is een babyverschoonkamer, terwijl kinderen kunnen spelen in het Fun City-gedeelte. Als men vertrekt, is de strijd om het beperkte aantal taxi's hevig.

167 E4 Beach Road 344 4161; www.mercatoshoppingmall.com Za-do 10-22, vr 14-22

Waar... Ontspannen

BARS

Boudoir
U dient netjes gekleed te zijn in bij voorkeur een gemengd gezelschap, wilt u doorgelaten worden door de uitsmijters van deze exclusieve club. Het interieur heeft een fin-de-siècle-achtige decadentie met kaarsen, zware damasten stoffen en weelderige sofa's. Dit is een van de chiquere plaatsen om uit te gaan, waar u in het buitengedeelte kunt genieten van de sterren. Op maandag is het jazzavond en de dames kunnen op dinsdagavond genieten van gratis champagne en op woensdag van gratis cocktails.

168 B4 Dubai Marine Beach Resort & Spa, Beach Road 345 5995; www.myboudoir.com Dagelijks 19.30-3

Cin Cin
Cin Cin opende in december 2005 zijn deuren en is nu dé bestemming van Dubai voor wijnkenners. Assistent-manager Jean-Philippe Joncas breidt de collectie van 280 wijnen, van Zuid-Afrikaanse sauvignon blanc voor 35 Dh per glas tot 40.000 Dh voor een fles Château Lafite Rothschild uit 1982, voortdurend uit.

In Dubai verkopen de grote namen, hoewel Joncas de klanten geleidelijk kennis laat maken met ongewonere wijnen uit de Nieuwe Wereld. Kies tussen hoge, beklede stoelen of lage leren banken. De sommeliers zijn zeer ervaren en hulpvaardig.

168 B2 Fairmont Hotel 332 5555; www.fairmont.com 18-2

Harry Ghatto's
De beste karaokebar van Dubai gaat pas laat open en u kunt er door blijven kwelen tot 03.00. Het is een compact gebouw, achter sushi-restaurant Tokyo, maar dat, en de cocktails, draagt alleen maar bij aan de sfeer.

168 B2 Boulevard, Emirates Towers-hotel 330 0000 20-3, karaoke vanaf 22

Sho-Cho
Meubilair van wit leer, grote aquaria met tropische vissen en subtiele blauwe verlichting geven u het gevoel onder water te zijn in dit trendy, minimalistische Japanse restaurant met bar.

168 B4 Dubai Marine Beach Resort & Spa, Beach Road 346 1111; www.dxbmarine.com 19-2.30

Tangerine
Tangerine is opgeknapt in 2006 en trekt de beau monde aan het einde van de week. Het is enorm groot, maar het doolhof van ruimtes zorgt gemakkelijk voor intimiteit.

168 B2 Sheikh Zayed Road 332 5555

Vu's
Neem de hogesnelheidslift naar de 51e verdieping van het Emirates Towers-hotel voor een van de heftigste uitzichten van de stad: er zijn maar weinig plaatsen die er 's nachts zo futuristisch uitzien als Sheikh Zayed Road, hoewel u het silhouet van de puntige Emirates Towers mist. Troost uzelf met een prijzige cocktail en kijk naar het arriveren van het cocktailpubliek. Het enige minpunt is het schuine raam, dat het uitzicht enigszins belemmert. Dit is een bar waar u heen moét gaan.

168 B2 51e verdieping, Emirates Towers Hotel, Sheikh Zayed Road 330 0000 Dagelijks 17-2

Zinc
Zinc is een populaire nachtclub met gevestigde naam gericht op mensen die zich willen laten gaan en willen feesten in plaats van zich gekunsteld gedragen. Er wordt vooral populaire

muziek gedraaid en de live huisband maakt regelmatig zijn opwachting. Het interieur heeft enigszins een jaren tachtig-look, met veel onbedekt metaal. De drankjes tijdens happy hour zijn royaal.

168 B2 Crowne Plaza, Sheikh Zayed Road 331 1111; www.crowneplaza.com 19-3

KUUROORDEN

Satori

Dit kleine maar ontspannende en besloten kuuroord met een oosterse binnentuin is voorbehouden aan leden en hotelgasten. Voor een breed scala aan behandelingen, waaronder Balinese pakkingen, worden producten van Elemis gebruikt.

166 B4 Jumeirah Beach Club Resort, Beach Road 310 2759; www.jumeirahbeachclub.com Dagelijks 9-21

SensAsia Urban Spa

SensAsia Urban Spa, een van de weinige kuuroorden die niet in een luxe hotel zitten, is stijlvol en geliefd bij plaatselijke inwoners van Jumeirah, die komen voor gezichtsbehandelingen en lichaamsscrubs of volledige lichaamsmassages. Men volgt een oosters thema, dus verwacht Balinese massages, maar er zijn ook vernieuwende behandelingen.

168 B4 The Village Mall, Beach Road, Jumeirah 349 8850; www.sensasiaspas.com Za-do 10-22, vr 12-21

Willow Stream Spa

De Willow Stream Spa, op de negende verdieping van een van de beste hotels van Dubai, biedt een Turks stoombad, jacuzzi en twee zwembaden. De behandelingen zijn opgezet rond een marien thema, terwijl het algemene ontwerp Grieks-Romeins is: verwacht marmeren zuilen, mozaïeken en kaarsen. Alle gasten krijgen eerst een consult.

168 B2 Fairmont Hotel, Sheikh Zayed Road 311 8800; www.fairmont.com Dag. 10-22 voor kuuroord, 6-24 voor fitness

ACTIVITEITEN

Kitepeople

Aan het uiteinde van dit stuk kust van Jumeirah ligt Kite Beach, zo geheten vanwege de kitesurfers die in het weekend naar het vrije strand trokken. Door een zeebries en warm water is kitesurfen een populaire sport in Dubai, maar door de steeds strengere voorschriften trekken ze steeds verder weg van het hoofdstrand van Jumeirah. Bij Kitepeople verkoopt en verhuurt men spullen, biedt men lessen aan aan iedereen die de sport wil uitproberen en geeft men advies over de beste plaatsen. De hoofdwinkel is Picnico aan Beach Road in Jumeirah, naast het Eppeo-benzinestation.

Buiten de kaart Naast Interchange 3 op Sheikh Zayed Road 050 8438584; www.kitepeople.net

Dubai Offshore Sailing Club

De Dubai Offshore Sailing Club is een uitnodigende plek waar men individuele zeillessen en groepslessen verzorgt voor niet-leden. De lessen kosten tussen 100-245 Dh.

166 B4 Beach Road, bij Safa Park 394 1669; www.dosc.ae 8.30-12.30

CULTUUR

Green Art Gallery

De Green Art Gallery exposeert originele hedendaagse kunst in een grote villa. De thema's variëren, maar er is vaak werk met Arabische invloeden. Er worden hier vijftig meest Arabische kunstenaars vertegenwoordigd.

167 F4 Villa 23, Street 51, achter Dubai Zoo 344 9888; www.ga-gallery.com Exposities okt-mei

Grand Mercato Cinema

Het Grand is gevestigd in de in Italiaanse stijl gebouwde Mercato Mall en heeft zeven schermen waarop de nieuwste films worden getoond.

167 E4 Mercato Mall, Beach Road, Jumeirah 349 8765; www.century-cinemas.com Za-do 10-22, vr 14-22

Jumeirah-West

Even oriënteren

Het deel van Dubai ten westen van de Burj Al Arab breidt zich voortdurend uit. Aanvankelijk kroop de groei – hotels, winkelcentra en themaparken – langs Sheikh Zayed Road, steeds verder van het oude Dubai rond de Creek vandaan. Tegenwoordig zijn er bouwterreinen vanaf Interchange 3, voorbij de Palm Jumeirah, voorbij de nieuwe Dubai Marina tot aan Jebel Ali Port. Maar het bijzonderste werk wordt landinwaarts verricht: Dubailand is, simpelweg, het grootste bouwproject ter wereld en het neemt de lege woestijn achter dit deel van Jumeirah over.

Jumeirah-West is een handige verzamelnaam voor dit gedeelte; hoewel het Palmeiland Jumeirah heet, ligt de echte buurt Jumeirah een stuk terug aan de kust, naast Bur Dubai. De wijken aan deze kant van Sheikh Zayed Road, vanaf de Burj Al Arab en weg van de Creek zijn respectievelijk: Umm Suqeim, Umm Al Sheif, Al Sufouh en Al Mina Al Seyahi, en zij bezetten Interchange 3 tot 6 op Sheikh Zayed Road.

Aangezien er weinig bestaande woningbouw was aan de kust, hadden projectontwikkelaars de vrije hand om helemaal tot aan de kustlijn te bouwen. Eerst kwamen de vijfsterrenhotels zoals het Ritz-Carlton. Nu wordt er een tweede laag bouwprojecten opgetrokken achter de gebouwen aan het strand; het intensiefste bouwterrein is de Dubai Marina, dat een binnenwater in Al Mina Al Seyahi omringt. Op dit moment is dit het modernste deel van Dubai. Mettertijd zal het een tweede, alternatieve as worden voor de stad; de inwoners zullen helemaal niet naar het oude Dubai hoeven gaan.

De bezienswaardigheden van Jumeirah-West hebben over de hele linie één ding met elkaar gemeen: ze zijn allemaal modern. Vanaf de kust aan Interchange 3 begint het met twee van de kenmerkendste hotels van Dubai: het Jumeirah Beach Resort in de vorm van een golf en de iconische Burj Al Arab. Het beste en zeer populaire themapark van Dubai, Wild Wadi, ligt bij de ingang van de Burj Al Arab. Wild Wadi heeft enkele echt vermakelijke nieuwigheden, zoals Wipeout, een eindeloze branding, een 'flowrider' genoemd, waarop het surfen geoefend kan worden.

5

Op uw gemak

7 Palm Jumeirah ➤ 125
8 Gold and Diamond Park ➤ 125
9 Emirates Hills ➤ 126

★ Niet missen

1 Burj Al Arab ➤ 112
2 Madinat Jumeirah ➤ 114
3 Wild Wadi ➤ 116
4 Mall of the Emirates ➤ 118
5 Dubai Marina ➤ 121
6 Dubailand ➤ 123

Naast de Burj Al Arab is Madinat Jumeirah de meest kunstmatige vertoning van weelde van de stad. Het is een uitdijend complex met twee luxueuze hotels (Al Qasr en Mina A'Salam) en onder de openbare gedeeltes vallen een souk, restaurants en een grote nachtclub. De inspiratie voor Madinat Jumeirah lijkt een combinatie van het oude Venetië en

Boven: Pret en plezier in Wild Wadi

Links: Eters genieten van een ontspannen lunch in het zonnetje

het moderne Palm Springs: het complex lijkt op water te drijven en gasten worden met *abra's* van kamer naar restaurant gebracht, geluidloos varend over de brede waterwegen. Alleen hebben ze in Al Qasr en Mina A'Salam geen restaurants, ze hebben 'ervaringen'. Madinat Jumeirah is werkelijk een droomwereld, die zijn burgers in alles voorziet, waaronder het enige theater en de grootste nachtclub van Dubai.
De surrealistische wereld van Dubai gaat nog een stapje verder met de Mall of the Emirates, het enorme winkelcentrum bij Interchange 4, achter Madinat Jumeirah. Mocht u zich afvragen wat die zilverkleurige buis is die er aan de zijkant uitsteekt, dan is hier een hint: het is de enige plek in de VAE waar u een wollen muts en warme handschoenen moet dragen. Jawel, Dubai heeft het eerste indoor ski-resort van het gebied. Het is niet zomaar

een skihelling; er is een 'zwarte' helling en vier andere hellingen, restaurants in alpenstijl, ijsspelonken, een park om uw snowboardvaardigheden te oefenen en een stoeltjeslift. Dubai moet de enige plek op aarde zijn waar u 's ochtends kunt gaan surfen (in Wild Wadi) en 's middags kunt gaan skiën.

De Mall of the Emirates is een van de grootste winkelcentra ter wereld, met ruim 400 winkels, waaronder Harvey Nichols, een luxe hotel en, natuurlijk, het ski-resort.

Bij het volgende knooppunt op Sheikh Zayed Road imponeert Dubai Marina zowel inwoners als bezoekers al met zijn wolkenkrabbers. Het groeiende project heeft al luxe hotels, restaurants en woon-werkgebieden, zoals Dubai Media City, Internet City en Knowledge Village. Het project draait om de Marina, waar onberispelijke jachten en motorjachten zijn aangemeerd.

Maar zelfs de Marina verbleekt bij Dubailand, bereikbaar via een afslag op Sheikh Zayed Road tussen Interchange 4 en 5. Als het voltooid is (in 2018), zal Dubailand twee keer zo groot zijn als de op een na grootste groep themaparken ter wereld, de Disney-resorts en honderd keer zo groot als Monaco. Het bedrag dat met het project gemoeid is, is gewoonweg astronomisch (➤ 123) en dit werk-in-uitvoering is al deels open. Het streven is dat de barre woestijn van Dubai mettertijd verandert in de populairste toeristische bestemming ter wereld.

Onder: Dubailand, Global Village

Het is het begin van een prachtige dag. Ga, nadat u 's ochtends hebt gewinkeld in de enorme Mall of the Emirates, 's middags naar de skihellingen, en daarna surfen in Wild Wadi.

Jumeirah-West in een dag

9.00 uur

Ontbijt in uw hotel. Het is een lange rit naar Jumeirah als u in Deira of Bur Dubai verblijft, dus probeer ten minste enkele nachten door te brengen in een strandresort in dit deel van Dubai (➤ 127 voor een lijst met hotels).

10.00 uur

Zorg dat u als eerste binnen bent in de 4 **Mall of the Emirates** (➤ 118-120), het grootste winkelcentrum van Dubai met ruim 400 winkels. Met een gratis plattegrond kunt u de winkels vinden waar u naartoe wilt. Kinderen zullen het amusementsgedeelte Magic Planet (➤ 132) met spelletjes en attracties geweldig vinden.

13.00 uur

Lunch in het winkelcentrum. Een eetgedeelte op de eerste verdieping heeft talrijke restaurants, waaronder een Japengo Café, een TGI Fridays en kookstijlen van over de hele wereld. U zult de energie nodig hebben voor uw volgende opdracht: skiën over de eerste indoor skihellingen van Dubai.

14.00 uur

Ski Dubai (➤ 119–120), op de eerste verdieping van de Mall of the Emirates, is een bijzondere plek, met echte sneeuw, restaurants en skihellingen. U kunt een sessie van twee uur reserveren en als u niet zeker bent van uw vaardigheden is het mogelijk lessen te nemen. Voor wollen mutsen wordt gezorgd.

16.30 uur

Van skiën naar surfen in één dag: arriveer op tijd bij het 3 **Wild Wadi** (➤ 116) themapark voor de voordeligere borreluurtjes. De glijbanen, golfslagbaden en thematische speelgedeelten van Wild Wadi liggen in een prachtig gemaakt tropisch landschap met rotsen, watervallen en groepjes palmen.

19.00 uur

Zet de boodschappentassen af bij uw hotel en fris uzelf op voor een diner in de buitenlucht in een van de restaurants aan het water bij 5 **Dubai Marina** (➤ 121–122). U kunt kiezen uit diverse restaurants, waaronder Chandelier (➤ 129–130) bij de ingang, of Inferno (➤ 130) aan de rechterkant. Overal om u heen neemt het tweede centrum van Dubai vorm aan.

22:00 uur

Besluit de avond met een cocktail in de luxueuze Buddha Bar (➤ 132) die deel uitmaakt van het Grosvenor House-hotel aan de overkant van de Marina. De bar, die voortkomt uit de gelijknamige in Parijs gevestigde bar, is een van dé nachtclubs van Dubai.

1 Burj Al Arab

Dit futuristische wonder vat de vooruitstrevende, sociaal opwaartse houding van Dubai samen. Het is het hoogste hotel ter wereld en waarschijnlijk ook het meest luxueuze. Bewonder het uitzicht op The World vanuit bar Skyview onder het genot van een cocktail; vergeet alleen uw creditcard niet.

Het is toepasselijk dat het iconische gebouw van Dubai geen regeringsgebouw, historisch monument of gebedsplaats is; integendeel, het is een hotel. Dit was zeker de bedoeling van architect Thomas Wills Wright en aannemer W.S. Atkins, die gevraagd werden om iets te creëren dat de ambities van Dubai duidelijk zou maken aan de wereld. Maar met de zeilvormige voorgevel van de Burj Al Arab, van geweven glasvezel met een laag teflon, wordt ook verwezen naar het zeevaardersverleden van Dubai. Overdag is deze gevel oogverblindend wit van kleur, maar 's avonds vormt hij de achtergrond voor een kleurige lichtshow, die bekeken kan worden vanuit de hotels aan Jumeirah Beach.

De Burj Al Arab staat op zijn eigen kunstmatige eiland 280 m uit de kust, dus het lijkt alsof het hotel zelf drijft. Om langs de bewaking in het wachthuisje aan de brug te komen, moet u een reservering maken in een van de restaurants (► 129; reserveer van tevoren) van het hotel. U kunt naar het hotel gaan om alleen een drankje te nemen in de Skyview Bar, of 's middags thee te drinken in Sahn Eddar, maar ook hier moet u reserveren. Het loont de moeite, al was het maar vanwege de overtrokken interieurinrichting. De zwierige rode, gele en blauwe tapijten en de lagen goud en zilver, op naam van Kuan Chew van KCA International, zijn genoeg om u het hoofd te doen tollen. En het is waar, als het eruitziet als goud, is het dat waarschijnlijk ook: er is 1600 m² 24-karaats bladgoud gebruikt.

De overige belangrijkste gegevens van het hotel zijn eveneens verbazingwekkend: er zijn 1500 personeelsleden voor 202 suites, waarvan elk zijn eigen butler heeft. Er staat de gasten een vloot van 10 witte Rolls-Royces ter beschikking, en een helikopterpendeldienst vanaf het vliegveld kost 9000 Dh. Het hoogtepunt van een bezoekje aan het Burj Al Arab is de hogesnelheidslift aan de buitenkant, die passagiers met een duizelingwekkende 6 m per seconde naar de bovenste verdieping brengt.

Hoewel er geruchten over verzakking waren, bestaat de fundering van het 321 m hoge gebouw uit pijlers met een diameter van 2,5 m die 40 m verzonken zijn. De bouw begon in 1994 en het hotel opende in december 1999 zijn deuren. Voorlopig wordt de Burj Al Arab – mooi vanbuiten, lelijk vanbinnen – nog niet verdrongen als het icoon van Dubai.

- 165 E3
- Umm Suqeim
- 301 7777; www.burj-al-arab.com

Rechts: Luxueus dineren in restaurant Al Mahara

Het imposante atrium van Burj Al Arab

2 Madinat Jumeirah

Madinat Jumeirah is overdaad zover het oog reikt: deels hotel, deels recreatiecomplex, Madinat Jumeirah stuwt het gebruik van thema's naar nieuwe hoogten. Het grootste deel van het resort wordt ingenomen door het Mina A'Salam-hotel met Arabisch thema, maar onder de openbare gedeelten zijn het enige theater van Dubai, een nachtclub en een souk.

Strandresort Madinat Jumeirah

Geen enkel ander resort evenaart het overtrokken ontwerp van Madinat Jumeirah. Alles hier is nep, van de windtorens tot de *abra's* die over de 3,7 km aan waterwegen pendelen, maar dat doet niets af aan de duizelingwekkende ervaring van het verkennen van het hotel. Tenzij u verblijft in het Mina A'Salam, een boetiekhotel met slechts 292 kamers, of in een van de suites van Al Qasr (waarvan sommige 30.000 Dh per nacht kosten), bent u beperkt

tot de restaurants, de souk of een van de amusementsetablissementen, zoals Trilogy, de grootste nachtclub van Dubai, of het Madinat Theatre, dat plaats biedt aan 442 personen en het enige theater in de stad is. Het winkelgebied Souk heeft 70 winkels. Met brede paden en een prijsbeleid waarover niet onderhandeld kan worden is het niet de meest realistische interpretatie van een souk, maar u kunt er goed gemaakte souvenirs vinden. De goederen zijn van zeer hoge kwaliteit en het interessantst zijn de winkels die kunst, handwerk, sieraden en antiek verkopen – als u maar wilt betalen. De ingang van het theater ligt in de souk. Buiten worden evenementen met livemuziek georganiseerd in het Amphitheatre met plaats voor 1000 personen, dat met de

Onder: Koop een souvenir of grasduin in de kunstnijverheid in het soukgebied

MADINAT JUMEIRAH: INFORMATIE UIT DE EERSTE HAND

Beste tips Op een verblijf in een van de twee hotels in Madinat Jumeirah na, is een tafel reserveren in een van de 29 bars en restaurants de beste manier om het complex binnen te komen om rond te kijken.
Neem voor het mooiste uitzicht op Madinat Jumeirah zonder er binnen te gaan de lift naar de Skyview Bar in het Burj Al Arab-hotel (➤ 112–113).

Niet missen Probeer de imitatie-dhow te gaan bekijken die achtergelaten is in de haven. De *abra's* die u gasten ziet vervoeren varen op stille elektromotoren.

Een panoramisch gezicht op het uitgebreide resort

achterkant aan een waterweg ligt. De Trilogy-nachtclub is van vergelijkbare enorme omvang, met drie verdiepingen dance-muziek en een bar op het dak; de club is het toonaangevende avondje uit voor de feestende wereld van Dubai en velen zullen zich opwarmen in een van de uitstekende bars of restaurants van Madinat Jumeirah. Het is het zeker waard Madinat Jumeirah eens te bezoeken, voor het spektakel, maar tenzij u verblijft in het Mina A'Salam of het Al Qasr krijgt u niet het hele complex te zien.

165 D3 Interchange 4, Sheikh Zayed Road
366 8888; www.madinatjumeirah.com

3 Wild Wadi

Wild Wadi, een themaparkcomplex van 5 ha, bezet een toplocatie bij de toegang tot het Burj Al Arab-eiland aan Beach Road. Dit is een heerlijk dagje uit, met 23 attracties voor volwassenen en kinderen, en restaurants om u op krachten te houden voor de spannende attracties.

De Burj Al Arab zou nooit een tweederangs waterpark voor de deur tolereren en met Wild Wadi heeft het er een van de beste ter wereld, met 23 attracties voor kinderen en volwassenen en een prachtig staaltje landschapsarchitectuur. Attracties waar u voor in de rij zou moeten staan zijn de Jumeirah Sceirah (spreek uit 'scarer'), waarbij u met 80 km/u een hoogteverschil van 30 m aflegt op de grootste buitenwaterglijbaan buiten Noord-Amerika, de Whitewater Wadi, die 11 waterglijbanen met elkaar verbindt, en de Flood River Flyer, met zes glijbanen – alleen voor sterke zwemmers.

Het themapark heeft een achtergrondverhaal: volgens een legende voer Juha, een vriend van Sindbad de Zeeman, over de Arabische Zee met zijn dhow naar huis toen er een zware storm

Er is genoeg waterpret te beleven in dit park van wereldklasse

WILD WADI: INFORMATIE UIT DE EERSTE HAND

Beste tips Haal bodyboards en huur handdoeken aan een loket links van de toegang tot de Burj Al Arab. De boards zijn gratis, maar de handdoeken kosten 20 Dh. Ook zijn er kluisjes beschikbaar voor 20 Dh.

- Het park heeft twee ingangen: de hoofdingang ligt aan de verhoogde weg van de Burj Al Arab; de andere is voor gasten van het Jumeirah-resort.
- Er is beperkte parkeerruimte, dus neem een taxi naar het park.

Verborgen juweeltje Breaker's Bay, waar u kunt surfen op continue golven.

opstak. Juha en zijn dhow kwamen terecht in een tropische lagune waar watervallen zich van rotsachtige dagzomen stortten en groepjes palmen voor schaduw zorgden. Bezoekers kunnen genieten van het gezinsspeelgedeelte in Juha's Dhow met 100 spelletjes voor de kleinsten, of de Wadi Wash en Fossil Rock verkennen; elk uur barst er daar dankzij geluids- en lichttechnologie een storm los met donder, bliksem en zelfs een plotselinge overstroming. Raftervaringen op kolkend water worden verzorgd door de Flood River en Rushdown Ravine. Probeer als u niet bang bent in het donker door de Tunnel of Doom te lopen, een ondergrondse tunnel vol bochten in volslagen duisternis.

Maar de beste kans op een nat pak in Wild Wadi heeft u in Breaker's Bay, waar u kunt leren surfen op kunstmatige golven van verschillende hoogtes, en in de golven van de kleinere WipeOut en Riptide Flowrider.

165 E3
Verhoogde weg Burj Al Arab **348 4444; www.wildwadi.com**
Nov-feb dagelijks 11-18; maart-mei en sep-okt dagelijks 11-19, juni-aug dagelijks 11-21
Duur

4 Mall of the Emirates

Superlatieven zijn nauwelijks genoeg om de Mall of the Emirates te beschrijven: het is, totdat de Mall of Arabia is voltooid, met 400 winkels het grootste winkelcentrum van Dubai. Maar behalve dat het het winkelpubliek in de zevende hemel kan laten belanden, kan het ook kinderen naar een Magic Planet sturen en skiërs naar beneden laten glijden op de eerste indoor-skibanen van Dubai.

U kunt niet om de Mall of the Emirates heen; het is dat vorstelijke complex aan de woestijnkant van Sheikh Zayed Road met het zilverkleurige, sigaarvormige uitsteeksel aan de zijkant. Dat is Ski Dubai (zie blz. 119).

De verkenning van dit verheven winkelcentrum vergt verscheidene uitstapjes

U heeft meerdere dagen nodig om het hele winkelcentrum op zich te verkennen. Met drie verdiepingen en een oppervlakte van 585.000 m² is het een stad in een stad. Er zijn diverse ingangen en bij een daarvan kunt u een plattegrond meenemen en uw route door het winkelcentrum uitstippelen. De grootste winkels van het winkelcentrum zijn de warenhuizen Debenhams op de

Winkelpubliek in een van de 400 winkels in het centrum

begane grond en Harvey Nichols op de eerste verdieping. Het kindergedeelte Magic Planet (➤ 132) en het speelgedeelte Peekaboo voor jongere kinderen zijn op de eerste verdieping, dicht bij Ski Dubai, en ook het bioscopencomplex Cinestar zit op de eerste verdieping. In de Mall of the Emirates zitten winkels van alle denkbare categorieën; als u het kunt bedenken, kunt u het hier waarschijnlijk kopen. De grootste categorie is dames- en herenkleding, met een apart gedeelte in de Via Rodeo voor namen als Armani, Marc Jacobs en Yves St. Laurent, maar u kunt ook huisartikelen kopen in zo'n 20 winkels, elektronica, tapijten, speelgoed, parfum, sieraden, accessoires, boeken en muziek.

Toen deze gids geschreven werd, was de Mall of the Emirates open maar onvoltooid. In 2007 zal het tweede theater van Dubai, het Dubai Community Arts Theatre, er gevestigd zijn, dat een welkome aanvulling zal zijn op de culturele agenda.

Ski Dubai

Zelfs als u vanuit de toeschouwersgalerij Ski Dubai inkijkt, wordt duidelijk wat een geweldig technologisch kunststuk dit project eigenlijk is. Vierpersoons stoeltjesliften brengen skiërs naar de toppen van de vijf hellingen, waaronder de eerste zwarte indoorhelling ter wereld. Andere skiërs gaan een hapje eten in het zeer overtuigende St. Moritz Café onder aan de heuvel, of het Avalanche Café halverwege. Overal ligt bevroren sneeuw, die gemaakt is door een, in eenvoudige bewoordingen, enorm aircosysteem. Er wordt puur water door het apparaat geleid, en als het door de

Rechts: Geniet van een indoorwinterwonderland in Ski Dubai

sneeuwkanonnen wordt verstoven, wordt het bij de temperatuur van -8 °C van de sneeuwmaaksessies kristalsneeuw. Er wordt elke dag tot 30 ton sneeuw gemaakt die een oppervlakte van 22.500 m² bedekt, waaronder een Snow Park van 3000 m². Isolatie houdt Ski Dubai zelfs in de zomermaanden koel: de ontwerpers omschreven het wel als 's werelds grootste koelkast. Er zijn 23 airco's die de koude temperatuur van -1 °C in stand houden. De hellingen van Ski Dubai zijn 85 m hoog, 80 m breed en 400 m lang, dus er is altijd genoeg plaats voor 1500 personen. Hoewel het resort eind december 2005 openging, bleek het enorm geliefd bij plaatselijke inwoners en bezoekers en u wordt aangeraden in weekends vooraf te reserveren. Het resort zorgt voor alle benodigdheden, kleding (behalve handschoenen) en lessen als u niet voldoet aan het minimale vaardigheidsniveau. De lessen worden gegeven in groepen tot 10 personen of u kunt voor 300 Dh per uur individuele lessen met een instructeur nemen. Als skiën niet uw tak van sport is, is er altijd nog de dubbele bobsleebaan, of een voor dat doel gebouwde galerij waar u sneeuwballen kunt gooien en een 'quarter pipe' van 90 m lang voor snowboarders. In een stad vol excentriciteit lukt het Ski Dubai om te verbazen.

Bezoekers gaan de kunstmatige hellingen op

Een ijsdraak draagt bij aan de magie van Ski Dubai

165 D1

Mall of the Emirates
Interchange 4, Sheikh Zayed Road 409 9000; www.malloftheemirates.com Za-di 10-22, wo-vr 10-24

Ski Dubai
409 4000; www.skidxb.com
Za-di 10-23 (kaartverkoop sluit 21.30), wo-vr 10-24 (kaartverkoop sluit 22.30)

5 Dubai Marina

Dubai Marina, het opvallendste deel van een tweede as in de stad, is een indrukwekkend bouwproject dat vrijetijds- en woonfaciliteiten combineert. U kunt enkele uitstekende restaurants en eethuisjes uitproberen terwijl u een stad ziet verrijzen voor uw ogen.

De nieuwe Dubai Marina ligt rondom de waterweg die landinwaarts om de luxe hotels van Al Sufouh heen stroomt. Het is een kunstmatige haven en de projectontwikkelaars hebben over het hele gebied talrijke uitkijkpunten aangelegd zodat u kunt zien wat er gebeurt – hoewel het een zeldzaamheid is de jachteigenaren daadwerkelijk in hun boten te zien zeilen. De beste manier om van de jachthaven te genieten is om er op een winteravond naartoe te gaan, een wandeling langs het water te maken en te kijken naar de eters op de restaurantterrassen en de oogverblindende verlichting van de wolkenkrabbers die de jachthaven omringen. De prijzen voor onroerend goed zijn hier heel hoog, appartementen kosten ruim een miljoen Dh hoewel velen nog niet eens voltooid zijn. Een ander veelbesproken bouwproject is Hydropolis, het eerste onderwaterhotel ter wereld, dat een educatief centrum zal krijgen. Toen deze gids geschreven werd, was er een technische kink in de kabel geko-

Wolkenkrabbers met restaurants, luxe appartementen en bedrijven staan langs de waterkant van Dubai Marina

Eethuisjes aan de straat zijn goede uitkijkpunten om naar mensen te kijken

men, maar Dubai heeft de reputatie dergelijke plooien glad te strijken.

De Marina is een geweldige plek voor fans van watersporten om rond te kijken. De Dubai International Marine Club organiseert races voor bijna elke categorie zeevaartuigen, waaronder de voornaamste powerboat-raceseries van de Golf, dhow-races, en races voor jetski's, kielboten, jollen en alles wat er verder nog drijft. Er zijn parkeerterreinen bij de ingang van de Marina, vlak bij de drukke Interchange 5 op Sheikh Zayed Road en een taxistandplaats ligt klaar. Aan de promenade aan weerszijden van de ingang zijn veel restaurants, veelal zonder drankvergunning, gevestigd. In het weekend komen er gezinnen en terwijl de kinderen in de sierfonteinen spelen, rookt pa een shishapijp in een eethuis. Bedenk dat, hoewel de Marina alleen al curiositeitswaarde heeft – hoe vaak ziet u nu een woud van bijna 100 wolkenkrabbers aangelegd worden? –, het omgeven is door een bouwterrein. Bewoners moeten eens per dag het stof van hun auto halen.

---

164 B2
Interchange 5, Sheikh Zayed Road Geen telefoon, www.dubai-marina.com

Dubai International Marine Club
399 5777; www.dimc-uae.com

Een dhow-race in Dubai Marina

6 Dubailand

Dubailand, geadverteerd als de ultieme bestemming voor amusement, vrijetijdsbesteding en toerisme, zet de groeiende traditie voort van vernieuwde en ambitieuze bouwprojecten waar Dubai tegenwoordig om bekendstaat. Hoewel het nog lang niet voltooid is, zijn de cijfers van dit opwindende en forse complex met vele thema's al fascinerend, maar bezoekers kunnen een voorproefje krijgen door Autodrome en Kartdrome te bezoeken, de eerste attracties die open zijn gegaan.

Boven: Autodrome is de eerste attractie van Dubailand die open is gegaan

Dubailand, het persoonlijke project van sjeik Mohammed, bestaat uit zes enorme, gethematiseerde werelden. Toen deze gids werd geschreven, waren dat Attractions and Experiences World, Retail and Entertainment World, Leisure and Vacation World, Eco-Tourism World, Sports and Outdoor World en Downtown. In elke wereld komen verscheidene afzonderlijke themaparken en attracties.

De concrete realiteiten van het project zijn ongelofelijk. Sinds de aankondiging van het project in oktober 2003 heeft de regering van Dubai 3 miljard dirham uitgetrokken voor de aanleg van de infrastructuur van het gebied, dat 270 miljoen m² land beslaat. En dat is alleen nog maar de aanleg van wegen en de installatie van water- en energievoorzieningen. Men hoopt dat zeven van deze projecten open zijn in 2008, en verwacht de voltooiing van het volledige Dubailand een decennium later, in 2018. Tegen die tijd voorzien projectontwikkelaars jaarlijkse bezoekersaantallen van 15 miljoen personen, en nog eens 300.000 personen in dienst bij de attracties van Dubailand of in een van de 55 hotels. Een schatting voor de uiteindelijke, totale kosten van Dubailand is 65 miljard dirham (of 18 miljard dollar).

Gezicht vanuit de lucht op de racebaan van Autodrome

Het Autodrome en Kartdrome

U kunt al genieten van de eerste attracties van Dubailand: een autoracecircuit, het Autodrome, en Kartdrome, een kartbaan. Het Autodrome is ontworpen om onderdak te kunnen bieden aan F1-evenementen en is enorm. De toeschouwerstribune staat rechts van de toegangsweg, en Kartdrome staat net daarna aan de linkerkant. Het Autodrome biedt al onderdak aan diverse motorsportevenementen in het jaar, waaronder Le Mans-achtige 24-uursraces. Maar de hoofdattractie van het Autodrome is dat Schumachers in de dop zich kunnen inschrijven voor lessen van vaste instructeurs en daarna in een krachtige auto over het circuit mogen rijden. In de garages staan Audi A3's met 200 pk, Audi Quattro A4's met 250 pk en Subaru Impreza WRX STI's met 315 pk. Er wordt een scala aan 'Driving Experiences' verkocht in het Autodrome.

Aan de andere kant van de toegangsweg biedt Kartdrome soortgelijke sensaties in een kleinere uitvoering. Er zijn karts met krachtige motor te huur en er is een circuit van 1,2 km waarop u ze kunt laten draven. Er zijn twee soorten karts met Hondamotor, een Kid Kart met 5 pk en een kart voor volwassenen met 13,5 pk; kinderen moeten ouder zijn dan zeven jaar om te mogen rijden. De baan is gebouwd volgens zeer hoge eisen en heeft een brug, een tunnel en verlichting voor gebruik 's avonds. Dit is een professionele onderneming en doordat een van de 24 pits aan uw kart wordt gewijd en door een tijdwaarnemings- en scoresysteem zult u zich een professionele coureur wanen. Voor de veiligheidsuitrusting, inclusief integraalhelmen, wordt gezorgd. Voor volwassen jongens is het een opwindend dagje uit, als er genoeg coureurs op het circuit zijn. Bepaalde tijdvakken, Arrive and Drive genoemd, zijn bestemd voor openbaar gebruik en kosten 100 Dh per sessie van 15 minuten.

165 bij D1

Kartdrome "Arrive and Drive"
Zo-ma 16-21.15, di-wo 11-21.15, do 17.30-21.45, vr 18-21.45, za 16.30-21.45

Autodrome en Kartdrome
367 8700; www.dubaiautodrome.com
www.dubailand.ae

Karten voor zowel kleine kinderen en grote kinderen maken van Kartdrome een spannend dagje

Op uw gemak

7 Palm Jumeirah

Hoewel het strikt genomen niet in Jumeirah ligt, profiteert de Palm Jumeirah van de associatie met de chique strandbuitenwijk van Dubai. Het was het eerste Palmeiland dat van de tekentafel en in de Perzische Golf terechtkwam. Dit kleinste Palmeiland is hard op weg naar voltooiing, hoewel kopers van enkele van de villa's op het eiland hebben geklaagd over eindeloze bouwvertragingen. De Palm

van Jumeirah heeft 17 bladen en een centrale stam waar het Trump Hotel, dat nog het meest op een uitkomende pop lijkt, zal komen. Een ander hotel, The Lighthouse, zal 's avonds een lichtstraal over het Palmeiland schijnen; de voltooiing staat gepland voor 2008. Als het eerste Palmeiland dat opengaat, zal de Palm Jumeirah toeristen aantrekken die graag willen zien waar al die ophef om is. En wat betreft de vraag of het kopen van onroerend goed op het eiland een goede investering was: 30 topvoetballers kunnen zich niet vergissen. Toch?

165 A3

8 Gold and Diamond Park

De concurrentie in dit complex is hevig, dus de kooplui zijn bereid te onderhandelen, hoewel kopers niet zoveel zullen kunnen afdingen als op de Gold Souk. Er zijn ruim 30 winkels (er zijn er in 2006 nog meer opengegaan) die allemaal een soortgelijke verzameling 18-karaats sieraden met diamanten of andere edelstenen verkopen. Bij Moments (tel: 374 0834, www.moments-jewelry.com) variëren de prijzen bij-

voorbeeld van 500 Dh voor een paar oorbellen tot 500.000 Dh voor een set met diamanten oorbellen, een ketting, een armband en ringen. De prijzen hier zijn een handige maatstaf voor de prijzen op de Gold Souk. U kunt ook vragen om een gratis rondleiding door de fabriek waar de sieraden worden gemaakt en de handwerksmannen aan het werk zien.

165 E1 Sheikh Zayed Road www.goldand-diamondpark.com Za-do 10-22, vr 16-22

9 Emirates Hills

De karakteristieke bedoeïenententen aan de woestijnkant van Sheikh Zayed Road zijn de voorboden van de Emirates Golf Club. Ook de weelderige gazons van de golfbaan tegen de stoffige bouwterreinen aan deze kant van de stad verraden iets. Elk jaar treedt de Emirates Golf Club op als gastheer voor de Dubai Desert Classic, een van de duurste golftoernooien ter wereld. Hooggeplaatste golfers maken de reis naar het emiraat om te strijden op een baan die, in de woorden van Tiger Woods, 'in uitstekende conditie' is. Bovendien ging het gerucht dat aan de nummer één van de wereld 2 miljoen dollar was betaald om bij het evenement aanwezig te zijn. De Emirates Golf Club heeft twee banen, de Majlis en de Wadi, beide par-72. Op de verlichte driving range en green kunt u later op de avond uw afslag en afwerking oefenen. Het toegangsgeld voor de green bedraagt 625 Dh voor 18 holes. De Majlis was de eerste grasgolfbaan van het Midden-Oosten en werd in 1988 geopend; het inaugurele jaar van de Desert Classic was 1989. Maar het Emirates Hills-gebied is meer dan alleen een golfbaan. Het is ook een veelbelovend woongebied met middenklasse villa's van 2,5 miljoen dirham.

164 C1
Emirates Golf Club
380 2222; www.dubaigolf.com

Golfers van wereldklasse hebben gespeeld op de Emirates Golf Club

Waar... Verblijven

Prijzen
Voor een tweepersoonskamer per nacht
€ 150Dh–600Dh €€ 600Dh–1500Dh €€€ 1500Dh–10.000+Dh

Grosvenor House West Marina Beach €€€

Grosvenor House is het eerste hotel in het bouwproject Marina, en het parkeerterrein, stampvol met dure auto's geeft u een idee van het publiek dat er komt. Het hotel is een spits toelopende toren aan het water met 45 verdiepingen. Enigszins verwarrend zijn de aparte liften voor de
217 kamers en de 205 appartementen, maar als u eenmaal uw kamer bereikt hebt, zult u er niet meer weg willen. De inrichting ervan is het toppunt van goede smaak en de faciliteiten zijn geavanceerd, met een breedbeeldtelevisie en snel internet. De Retreat Health Spa biedt volledige lichaamsbehandelingen en gasten mogen ook gebruikmaken van de faciliteiten en toegang tot het strand van zusterhotel Le Meridien Beach Resort aan de overkant. Grosvenor House heeft een flinke lijst restaurants en bars, met de meest gewilde plaatsen in de Buddha Bar. Neem de tijd om de moderne Indiase keuken van chef-kok Vineet Bhatia in Indego uit te proberen.

164 C3 Dubai Marina
399 8888; www.starwoodhotels.com

Habtoor Grand Resort and Spa €€€

Het Habtoor, gevestigd in een stel aparte torens, heeft een uitstekende ligging aan zee. De 442 kamers hebben vaak uitzicht op zee en snel internet valt onder de faciliteiten. Er zijn 14 restaurants en bars waaronder The Underground, een pub in Britse stijl. The Elixer geeft holistische oost-westbehandelingen.

164 C3 Al Sufouh Road
399 5000; www.habtoorhotels.com

Le Meridien Mina Seyahi Beach Resort and Marina €€€

Het Mina Seyahi heeft een paar pijlen op zijn boog waar de concurrentie niet aan kan tippen. Het is in het bezit van een van de grootste stukken particulier strand en heeft een eigen jachthaven met 238 ligplaatsen. Wanhoop niet als u niet per jacht bent gearriveerd; gasten hebben vrij gebruik van alle niet-gemotoriseerde watersporten, waaronder windsurfen en kajakken. Andere watersporten zijn onder andere sportvissen, wakeboarden en waterskiën. Het hotel heeft slechts 211 kamers, wat betekent dat de gasten persoonlijke service krijgen. Het is ook zeer gezinsvriendelijk met een kinderclub, hoewel voor kinderen ouder dan 12 jaar het volwassenentarief moet worden betaald. Uitmuntende bars en restaurants zijn onder andere bar Barasti en Bussola (► 129).

164 C3 Al Sufouh Road 399 3333; www.lemeridien-minaseyahi.com

Mina A'Salam €€€

Hoewel deze pas voltooide kolos wordt omschreven als een boetiekhotel, heeft het 292 kamers, elk met uitzicht op zee en een balkon. Het heeft een Arabisch thema, maar het effect is bijna verstikkend verheven. Maar het valt niet te ontkennen dat de locatie en omgeving perfect zijn. U kunt zich laten kalmeren in het bekroonde kuuroord Six Senses of simpelweg wat luieren op het particuliere strand. Een van de voordelen is dat u Madinat Jumeirah kunt verkennen buiten de openbare gedeeltes door met een fluisterboot over de kunstmatige waterwegen te varen. Er zijn acht restaurants en bars en de brunch op vrijdag staat bekend als de meest overvloedige van de stad.

165 D3 Madinat Jumeirah
366 8888; www.jumeirah.com

Oasis Beach Hotel €€

Het Oasis Beach Hotel, tussen de Sheraton en Hilton strandresorts in, is het voordeligste resort van het gebied, maar de kamers en faciliteiten, met name het strandgedeelte, blijven overeind tegenover de luxueuzere buren. De 252 kamers zijn voorzien van producten van Molton Brown en satelliettelevisie, maar alleen de Club- en Executive-kamers hebben internetaansluiting. Kamers met uitzicht op zee (in tegenstelling tot uitzicht op een enorm bouwterrein) kosten 700 Dh meer, maar hebben daarnaast een groot balkon. U kunt kiezen uit zes bars en restaurants, waaronder Oregano, een kleurrijk mediterraans restaurant, en Charlie Parrot, een bar met live amusement en thema-avonden. Verder zijn er een gezondheidscentrum en enkele goed georganiseerde watersporten en activiteiten. Kinderen hebben een apart zwembad (het zwembad voor volwassenen heeft een zwembar) en een speelgedeelte. Het Oasis is enorm geliefd bij mensen die geheel verzorgde reizen boeken en de strijd om kamers tijdens hoogseizoenen is hevig.

164 B3 ✉ Al Sufouh Road ☎ 399 4444; www.jebelali-international.com

One&Only Royal Mirage €€€

Het exclusieve One&Only heeft drie verschillende accommodatiegedeeltes, de suites van de Residence en de conventionelere kamers van het Palace en het Arabian Court. Zelfs de gewone kamers zijn met hun vorstelijke inrichting een feest voor de zintuigen. Gezinnen zijn van harte welkom in het verfijnde resort, met een gratis programma waarin op kinderen gepast wordt met spelletjes en activiteiten, terwijl tieners kunnen leren zeilen, maar de Royal Mirage is meer gericht op echtparen op huwelijksreis.

164 C3 ✉ Al Sufouh Road ☎ 399 9999; www.oneandonlyresorts.com

The Ritz-Carlton €€€

Dit zes verdiepingen tellende hotel wordt overschaduwd door een woningbouwproject met 40 verdiepingen erachter. Alle 138 kamers liggen echter met de voorkant op de Golf en geen ervan kijkt uit op het bouwwerk. Het Ritz-Carlton is een resorthotel en is gezinsvriendelijk, met kinderspeelgedeelten in met landschapsarchitectuur aangelegde tuinen, een kinderkamer met toezicht (4-12 jaar) en een buitenzwembad met glijbanen. Onder de faciliteiten vallen diverse restaurants, waaronder een eetgedeelte in de buitenlucht in Arabische stijl met lage tafels en kussens, en Splendido, een Italiaans etablissement waar u antipasta, vis en vlees kunt eten.

164 B3 ✉ Al Sufouh Road ☎ 399 4000; www.ritzcarlton.com

Le Royal Meridien Beach Resort and Spa €€€

Le Royal Meridien is het meest luxueuze hotel van Le Meridien in Dubai. Het heeft 500 kamers met uitzicht op zee, elk met een eigen balkon, en in de nieuwe Tower-aanbouw een persoonlijke butler. Met de gewone kamers krijgt u het meeste waar voor uw geld. Gasten zullen meer dan tevreden zijn met de faciliteiten, waaronder een royaal prachtig verzorgd stuk strand, een indrukwekkend kuuroord met Romeins thema met vijf hammam-zwembaden en 14 restaurants en bars.

164 B3 ✉ Al Sufouh Road ☎ 399 5555; www.leroyalmeridien-dubai.com

Sheraton Jumeirah Beach Resort and Towers €€–€€€

Het Sheraton, opgeknapt in 2003, blijft geliefd bij Europese vakantiegangers en is het geld waard. Het heeft 255 kamers, waarvan de meeste met uitzicht op zee, en op elke verdieping zijn kamers voor invaliden. Er wordt goed voor gezinnen gezorgd met een kinderclub en speeltuin. De onder architectuur aangelegde tuinen zijn een woud van dadelpalmen en parasols. Onder de faciliteiten vallen een zwembad, een fitnessruimte, squash- en tennisbanen en acht eethuisjes.

164 A3 ✉ Al Sufouh Road ☎ 399 5533; www.sheraton.com

Waar...
Eten en drinken

Prijzen
Per persoon per driegangenmaaltijd, exclusief drank en bediening
€ minder dan 60 Dh **€€** 60Dh–100Dh **€€€** meer dan 100 Dh

Al Hadiqa Tent €–€€

Diverse resorts aan dit stuk strand hebben gedeeltes met tenten in Arabische stijl op hun grondgebied staan. Het Sheraton is 's avonds altijd populair bij zijn gasten als er een à la carte Arabisch menu van shoarma en meze geserveerd wordt aan de eters die zich op kussens gevlijd hebben. Zoiets is leuk voor bezoekers van alle leeftijden, hoewel alleen de volwassenen hun maaltijd besluiten met een trek aan een shishapijp. De Beach Bar ligt dicht bij het gedeelte met de tenten.

164 A3 Sheraton Beach Resort, Al Sufouh Road 399 5533 Dagelijks 12-3

Al Mahara €€€

De onderzeeërslift met eigen kapitein neemt u mee naar beneden naar de eetzaal rond een aquariumzuil met dikke wanden van acrylplastic die de bewoners van het aquarium niet vertekenen. In het aquarium zitten ruim 50 soorten, waaronder tandbaarzen en alen. Het voortreffelijke menu is gevarieerd en u kunt kiezen uit diverse zeevruchten. Het proefmenu is een goede keus en de wijnkaart is uitstekend. Mannen dienen een colbert en stropdas te dragen.

165 E3 Burj Al Arab 301 7600 Dagelijks 12.30-15, 19-24

La Baie €€€

La Baie is de formele eetzaal van het Ritz-Carlton en voorziet in een gourmet-ervaring voor zowel gasten als gastronomen. Chef-kok Damien Chorley stuurt moderne Europese gerechten de keuken uit en legt de nadruk op lichte en gezonde gangen in plaats van de met room overgoten bereiding die u misschien zou verwachten. Het restaurant strekt zich uit tot aan de Golf en op het terras dineren is een gedenkwaardige ervaring.

164 B3 The Ritz-Carlton, Al Sufouh Road 399 4000; www.ritzcarlton.com Ma-za 19-23

Bussola €€€

Bussola, een nieuwe toevoeging aan Mina Seyahi, biedt u een diner aan de strandboulevard in een prachtige maar relaxte omgeving. 's Avonds worden er kaarsen aangestoken tussen de palmbomen en wordt er zachtjes swingende loungemuziek gedraaid. Bussola is een van de beste Italiaanse restaurants aan deze kant van Dubai, met een deskundig repertoire aan traditionele Italiaanse klassiekers en een keus uit 32 soorten pizza. Bussola is een geweldig begin van een avond aan het strand.

164 C3 Le Meridien Mina Seyahi, Al Sufouh Road 399 3333; www.minaseyahi.lemeridien.com Dagelijks 9-24

Chandelier €€

Chandelier, aan uw rechterhand als u het Marinacomplex binnengaat, heeft een groot openluchtgedeelte met tafels en stoelen plus een gedeelte met kussens voor shisha. Binnen serveert het stijlvolle, twee verdiepingen tellende restaurant een uitgebreid meze-menu met smakelijke traktaties zoals falafel, tabbouleh en fattoush: sla, tomaat, komkommer, lente-uitjes, munt, peterselie en radijs geserveerd met geroosterd brood. Er wordt ook gegrild vlees, zoals lamsspiesen en *arayes* (gebakken lamsgehakt in Arabisch brood), geserveerd. Het restaurant heeft geen drankvergunning. De fonteins buiten trekken rondspetterende kinderen en gezinnen en er hangt een aangenaam ontspannen sfeer.

164 B2 Dubai Marina
366 3606; www.chandelier-uae.com
Dag. 8.30-23.30

Inferno €€

Inferno is met zijn zonnige buitenterras met uitzicht op de jachten van de jachthaven een geweldige locatie. Neem als het te warm is om buiten te zitten plaats aan de lange tafels in de oranje-rode eetzaal met een oosters thema. Het is er informeel en de grill-chef-koks bereiden gerechten met Arabische smaken zoals gegrilde vis, steaks, Bahreinse lamskebab. Het heeft geen drankvergunning, maar u kunt het kruidige vlees wegspoelen met een keuze uit de sapbar. Boven het restaurant zit een sigarenbar, de Velvet Lounge.

164 B2 Dubai Marina
368 9193 Dagelijks 8-24

Johnny Rockets €€

Sla voor dit jaren vijftig-restaurantje waar het elke dag *Happy Days* is linksaf als u het Marinacomplex binnengaat. Johnny Rockets overtuigt tot de roodleren muurbanken, de soulklassiekers die gedraaid worden, de strikjesdragende obers, jukeboxjes op tafel en het barblad van formica aan toe. Blijf bij de verrukkelijke hamburgers: de Original Burger is zijn geld waard, bij de Smoke House krijgt u Tillamook Cheddar en rokerige saus. Onder de drankjes vallen limonade en frisdrank met ijs. Het zonnige terras kijkt uit op jachten in de jachthaven.

164 B2 Dubai Marina
368 2339; www.johnnyrockets.com
Za-do 12-24, vr 13-24

Ottomans €€–€€€

Probeer eens wat Turkse lekkernijen in dit restaurant op de tweede verdieping in de toren van het Grosvenor House, dat trefzeker bereide gerechten uit Turkije en het Midden-Oosten serveert. De vierkante eetzaal wordt onderbroken door zuilen en er lopen twee muzikanten rond die traditionele Turkse liedjes spelen. De bediening is uitmuntend.

164 C3 Grosvenor House, Dubai Marina 399 8888; www.grosvenor-house.lemeridien.com
Ma-za 19.30-24

Pierchic €€€

In een stad vol verbluffende restaurants doet Pierchic een gooi naar de toptafel met een romantische locatie aan het uiteinde van een pier die zich vanaf het particuliere strand van Al Qasr uitstrekt in de Perzische Golf. De mediterrane keuken is subliem, en dat mag ook wel voor zulke prijzen, maar het uitzicht is nog beter. De cliëntèle bestaat grotendeels uit stellen en de algemene sfeer is stijlvol maar sereen. Vis is een specialiteit.

165 D3 Al Qasr, Madinat Jumeirah 366 6730; www.jumeirah.com
Dagelijks 12-15, 19-23.30

Shoo Fee Ma Fee €€€

Dit luxueuze etablissement, half lounge-bar, half Marokkaans restaurant, heeft vanaf het terras het mooiste uitzicht op het imitatie-Arabische complex Madinat Jumeirah. Het Marokkaanse eten kan wat zwaar zijn voor het drinken en geklets later op de avond, dus kies een lichte salade of tapas voordat u uzelf in de kussens vlijt met een shisha (pijp).

165 D3 Souk Madinat Jumeirah
366 8888; www.jumeirah.com
Za-do 18-00.30, vr 16-00.30; drankjes tot 2

Splendido €

Met een zonovergoten terras, uitzicht op de Golf en een menu met eenvoudige, klassieke gerechten heeft Splendido een succesvolle formule gevonden. Natuurlijk is het als restaurant van het Ritz-Carlton nog steeds een overvloedige ervaring, vooral de Friday Brunch (12.30-15.30).

164 B3 Ritz-Carlton, Al Sufouh Road 399 4000; www.ritzcarlton.com
Dagelijks 7-11, 12.30-17, 19-00.30

Waar... Winkelen

Gold and Diamond Park

Door een recente uitbreiding is het aantal winkels gegroeid van 37 tot ruim 60, met nog eens 154 afdelingen gewijd aan productie. Hoewel alle winkels een soortgelijke verzameling gouden sieraden verkopen, is er voor elke portemonnee wat wils.

Kijk goed rond want de concurrentie is hevig vanwege lage bezoekersaantallen: het park is enigszins op zichzelf aangewezen totdat de ontwikkeling langs Sheikh Zayed Road het inhaalt. Er zijn gratis rondleidingen van een halfuur door het gedeelte waar men de sieraden maakt (tel: 347 7788).

165 E1 Interchange 4, Sheikh Zayed Road 347 7574; www.gold-anddiamondpark.com Za-do 10-22, vr 16-22

Ibn Battuta

Geen winkelcentrum trekt zoveel uit de kast wat winkelen betreft als Ibn Battuta. Het winkelcentrum is ingedeeld in zes geografische gedeeltes, overeenkomend met de reizen van de 14e-eeuwse wetenschapper Ibn Battuta, die van zijn geboorteplaats Tanger door het oostelijk halfrond naar China, India, Perzië, Egypte, Tunesië en Andalusië reisde. Elk gedeelte is voorzien van een kleurencode en heeft een thema dat overeenkomt met zijn gebied, dus in het roodbetegelde China Court treft u een levensgrote Chinese jonk aan en een replica van de Leeuwenfontein van het Alhambra in het paarse Andalusia Court. De reis door de grootste beschavingen ter wereld maakt een dagje winkelen zeker interessanter en met behulp van de kleurencodes, gecombineerd met een ongelofelijk gedetailleerd interieurontwerp, kunt u bepalen waar u zich bevindt. Gelukkig zijn er naast het 'edutainment' ook winkels. U vindt warenhuizen, waaronder het alomtegenwoordige Debenhams, in Perzië, naast winkels met gezondheids- en schoonheidsproducten, winkels voor kinderen en winkels met huishoudelijke artikelen. In India Court zwaait designermode de scepter, met winkels als Topshop naast trendy merken zoals het jeansmerk Evisu. In Tunesia Court, dat op een 14e-eeuwse Noord-Afrikaanse markt lijkt, maar met een iets hoger niveau van hygiëne, vindt u een Géant-supermarkt en andere voedingswinkels.

In Andalusia Court zitten buurtwinkels voor inwoners die hun stoomgoed willen afgeven of hun bankzaken willen regelen.

In Egypte overheersen de op gezinnen gerichte winkels, met een Legowinkel en diverse kinderkledingwinkels, sportwinkels zoals Nike en een Magrudy's voor boeken en muziek. In het laatste gedeelte, China, helemaal achter in het winkelcentrum, vindt u het eerste IMAX-scherm van Dubai en 21 andere filmschermen. In China Court zitten ook zeven restaurants – het filiaal van het Lime Tree Café is de beste keus voor smakelijke hapjes en een lekkere kop koffie – en een handig kantoor van Thomas Cook waar u reischeques kunt inwisselen. Ibn Battuta mag dan niet het grootste winkelcentrum van Dubai zijn, maar het heeft een ruime keus in winkels en is, voor een winkelcentrum, een heel speciale plek om rond te zwerven.

Buiten de kaart Interchange 5 of 6, Sheikh Zayed Road 362 1900; www.ibnbattutamall.com Za-di 10-22, wo-vr 10-24. Eetgedeelte dagelijks 10-24

Mall of the Emirates

Dit enorm grote winkelcentrum doet de meeste andere winkelcentra in Dubai in het niet verzinken. Waarschijnlijk krijgt u alle 400 winkels niet in één keer te zien en er zijn genoeg amusementsopties, waaronder een Magic Planet voor kinderen, filmschermen en Ski Dubai (➤ 119-120), om een tweede of zelfs derde bezoekje waard te zijn. De Mall of the Emirates heeft drie verdiepingen, maar in tegenstelling tot het Ibn Battuta zijn de winkels slechts losjes gegroepeerd op type, op het blitse Via Rodeo-gedeelte na waar u Italiaanse en Franse designermerken vindt. Maar de misschien wel belangrijkste naam van het winkelcentrum is Harvey Nichols, de eerste voorpost van het Londense warenhuis in Dubai.

Ouders met kinderen zullen opgelucht ademhalen als ze een van de twee uitmuntende Magic Planet-speelgedeeltes (zie Deira, ➤ 54) ontdekken; met arcadespelletjes, een lunapark en spannende activiteiten zullen de kinderen er niet weg willen. Naast Magic Planet zit Peekaboo, een kinderopvang voor jongere kinderen. Gedeeltes als The Kitchen en Book Corner zijn erop gericht het energieniveau constant te houden en alle speelgedeeltes zijn zacht om bulten en blauwe plekken te voorkomen. Kinderen jonger dan drie jaar dienen door een volwassene begeleid te worden.

Qua winkels is er voor elk wat wils. Ook hier zijn kledingwinkels prominent aanwezig, met sportieve, casual, chique en designerkleding voor mannen en vrouwen. U vindt de meeste merken ook in andere winkelcentra, maar diverse winkels verkopen ski- en snowboarduitrustingen, waarschijnlijk geïnspireerd door Ski Dubai.

U kunt eten bij onder andere Café Ceramique, waar kinderen (en volwassenen) een tekening kunnen maken op een onbewerkt stuk aardewerk en het kunnen laten bakken om mee naar huis te nemen: het ligt dicht bij de Carrefour-supermarkt op de eerste verdieping.

Er is parkeergelegenheid bij de Mall of the Emirates, maar u kunt het beste een taxi nemen, vooral tijdens de uitverkoop van het Dubai Shopping Festival in januari, wanneer koopjesjagers het winkelcentrum belegeren.

✚ 165 D1 ✉ Interchange 4, Sheikh Zayed Road ☎ 409 9000; www.malloftheemirates.com ⌚ Za-di 10-22, wo-vr 10-24

Waar... Ontspannen

BARS

Barasti Bar

De Barasti staat in het adresboekje van elke hippe barhopper in Dubai. Het heeft de tand des tijds overleefd en tegenwoordig is de openluchtbar met terras een van de toonaangevende nachtclubs van Dubai. Ook kunt u van een shisha genieten terwijl u naar de zonsondergang boven de Golf kijkt. De Barasti heeft de magische mix van hip maar bescheiden zijn.

✚ 164 C3 ✉ Le Meridien Mina Seyahi Resort, Al Sufouh Road ☎ 399 3333 ⌚ Dagelijks 9-2

Buddha Bar

Een stoet van dure sportwagens zet de beau monde van Dubai af bij de deur van deze recente toevoeging aan de populaire clubs van de stad. De Buddha Bar, net nieuw uit Parijs, is een donkere, verleidelijke club, ingericht met donkere, rode lantaarns en een enorm gouden boeddhabeeld. Een van de muren is een glazen wand van 9 m hoog waardoor de eters en drinkers over het nieuwbouwproject Dubai Marina kunnen turen. Er worden Thaise gerechten geserveerd, maar de cocktailkaart verdient uw speciale aandacht. Later op de avond wordt de muziek levendiger en wordt de nadruk van restaurant naar bar verlegd. Kom hiernaartoe voor een drankje en om het meest exotische interieur te zien van de barscene van Dubai.

✚ 164 C3 ✉ Grosvenor House, Dubai Marina ☎ 399 8888; www.grosvenorhouse.dubai.com ⌚ Ma-vr 12-2, za-zo 12-3

Jambase
Jambase, onder de Trilogy nachtclub, heeft een vaste band die de voetjes van de vloer houdt met jazz-achtige muziek. U kunt hier eten – voornamelijk Amerikaanse klassiekers zoals rivierkreeft – maar u kunt beter komen voor een drankje en een dansje voordat u naar boven naar Trilogy gaat. Nette informele kleding wordt verwacht. Vanaf 21 jaar.

165 D3
De Souk, Madinat Jumeirah 366 6730; www.madinatjumeirah.com
Dag. 19-2

The Rooftop
Ontspan met een cocktail in deze relaxte bar op het dak van de One&Only Royal Mirage. Het doel hier is ontspanning, met kussens, kalmerende achtergrond-muziek en uitzicht op de lichtshow van de Burj Al Arab, als u zich kunt losscheuren van de sterrenhemel.

164 C3 One&Only Royal Mirage Hotel, Al Sufouh Road
399 9999 Dag. 17-1

Skyview Bar
Niet-gasten dienen te reserveren bij deze cocktailbar op 200 meter boven zeeniveau. En de toegangsvoorwaarden van de Skyview zijn de meest strikte van de stad: geen jeans, geen sportschoenen, geen sandalen en voor de heren een overhemd met kraag. Maar het biologerende uitzicht op bouwproject The World en op de kust is de moeite waard. Helaas is de inrichting net zo chaotisch als in de rest van de Burj Al Arab.

165 E3 Burj Al Arab
301 7600 Dag. 11-2

Trilogy
In het weekend is de Trilogy meestal dé plaats om te fuiven. Met ruimte voor 2000 personen en drie verdiepingen met dreunende dancemuziek door een programma van vaste en gast-dj's, waaronder internationale sterren, is het geen plek voor een intiem avondje uit; daarvoor moet u naar boven naar The Rooftop, met zijn prachtige uitzicht op de Burj Al Arab. Er is rijkelijk voorzien in bars en relaxruimtes, maar als u dat liever hebt, kunt u een van de VIP Glass Cages reserveren als uw persoonlijke domein. Trilogy ligt bij de ingang van Madinat Jumeirah.

165 D3 The Souk, Madinat Jumeirah 366 8888; wwwmadinatjumeirah.com
Ma-za 21-3

KUUROORDEN

Givenchy Spa
Dit minimalistische kuuroord gebruikt producten van Givency in een enigszins formele omgeving. Het biedt een scala aan gezichtsbehandelingen, massages en pakkingen en peelings. Behalve het kuuroord kan het hotel zich ook beroemen op de beste hammam van Dubai.

164 C3 One&Only Royal Mirage Hotel 399 9999; www.oneandonlyresorts.com
vrouwen 9.30-14, gemengd 15.30-20

Retreat Health and Spa
Onderga een verjongingskuur in dit uitmuntende kuuroord in het Grosvenor House in de Marina. Het heeft aparte gedeeltes voor mannen en vrouwen en een scala aan massages, waaronder de Balinese massage.

164 C3 Grosvenor House West Marina Beach Hotel, Dubai Marina
317 6762; www.starwoodhotels.com
Dag. 6.15-21.45

The Ritz-Carlton Spa
Het kuuroord van het Ritz-Carlton heeft veel voor zich spreken, met meer dan 40 Balinese of Europese behandelingen en 8 behandelkamers. Voor de ultieme verwenning neemt u een Signature Package van een dag, zoals het 5 uur durende arrangement Eastern Delight met volledige Javaanse Lulur lichaamsbehandeling, een traditionele Balinese gezichtsbehandeling, een Indonesische hoofdhuidbehandeling en een gezondheidsdrankje.

164 B3 Ritz-Carlton Hotel, Al Sufouh Road 318 6184; www.ritzcarlton.com Dag. 6-22

CULTUUR

Cinestar

Deze bioscoop met 14 schermen ligt op de eerste verdieping van het winkelcentrum en toont de gebruikelijke stroom kaskrakers uit Hollywood. De openingstijden zijn dezelfde als het winkelcentrum (▶ 132) en er zijn regelmatig voorstellingen overdag.

165 D1 ✉ Mall of the Emirates ☎ 341 4222; www.cinestarcinemas.com

Grand Megaplex and IMAX

Dit bioscopencomplex in het China Court van winkelcentrum Ibn Battuta heeft het eerste IMAX-scherm van Dubai. De openingstijden komen overeen met die van het winkelcentrum en er zijn regelmatig voorstellingen overdag.

Buiten de kaart ✉ Ibn Battuta ☎ 366 9898; www.ibnbattutamall.com

Madinat Theatre

Er is slechts één plaats voor theater, dans en stand-up comedy in Dubai: het Madinat Theatre dat plaats biedt aan 442 personen. Het theater heeft goed uitzicht en akoestiek en comfortabele zitplaatsen. En het is goed ontvangen door de naar theater hunkerende bevolking van Dubai.

165 D3 ✉ De Souk, Madinat Jumeirah ☎ 366 8888; www.jumeirah.com Tijden en prijzen variëren

ACTIVITEITEN

Duiken
Pavilion Dive Centre

Dit door de PADI goedgekeurde duikcentrum biedt Discover Scuba Divingsessies voor beginners en cursussen en tochten voor ervaren duikers. Charters vertrekken vanuit Dubai en Khor Fakkan aan de oostkust van de Emiraten nabij Fujairah. Uitrusting en vervoer zijn inbegrepen.

165 E3 ✉ Jumeirah Beach Hotel ☎ 406 8827; www.thepaviliondivecentre.com Duur

Golf
Arabian Ranches Golf Club

Het bouwproject Arabian Ranches met voornamelijk woningbouw is in het bezit van de eerste echte woestijngolfbaan van Dubai. Het ontwerp, door het ontwerpbedrijf van Jack Nicklaus, gebruikt de woestijn als een ongebruikelijke uitdaging: er zijn op deze par-72 baan geen waterelementen, maar wel een heleboel bunkers.

165 bij D1 ✉ Dubailand ☎ 366 3000; www.arabianranchesgolfdubai.com Duur

The Montgomerie

Deze door Colin Montgomerie ontworpen baan ligt dicht bij de Emirates Golf Club (▶ 126) en introduceert een aantal kenmerken van een 'Scottish Links'-baan. De derde hole heeft niet alleen de omtrek van de Verenigde Arabische Emiraten, maar is ook de grootste green ter wereld.

164 B1 ✉ Interchange 5, Sheikh Zayed Road ☎ 390 5600 Duur

Parasailing
Sheraton Jumeirah Beach

Als het vooruitzicht te worden opgetrokken aan een grote parachute u aanspreekt, onderga deze ervaring dan op het strand bij het Sheraton-hotel, dat een eigen speedboot heeft.

164 A3 ✉ Al Sufouh Road ☎ 399 5533; www.sheraton.com Duur

Zeilen
Dusail

Bij deze firma gevestigd in Dubai Marina kunt u motorboten en een jacht huren. Men biedt ook visarragementen en 2 uur-durende toeristische rondvaarten aan, die vertrekken vanuit de Marina bij het Jumeirah Beach Hotel.

164 C3 ✉ Dubai International Marine Club ☎ 396 2353; www.dusail.com Prijzen variëren

Skiën en snowboarden
Ski Dubai

Het mag buiten dan gloeiend heet zijn, binnen in dit indoor-skiresort sneeuwt het (▶ 119-120).

165 D1 ✉ Mall of the Emirates ☎ 409 4000; www.skidxb.com Duur

Wandelingen en tochten

1 Fujairah

Autotocht

AFSTAND 320 km rondreis **DUUR** Trek er een of twee dagen voor uit en overnacht in een strandresort (Hilton of Le Meridien in Fujairah)
BEGIN-/EINDPUNT Klokkentorenrotonde op Al Maktoum Road 170 C1
WAT MEENEMEN Kaart, aanvullende autoverzekering als u zich in het aangrenzende Oman waagt
WANNEER GAAN Dagelijks; vertrek vroeg, aangezien een enkele reis met pauzes 3 uur duurt.

Wat het ontbeert aan olie compenseert Fujairah met natuurlijke schoonheid. Fujairah is het enige emiraat dat aan de Indische Oceaan grenst en is gezegend met stranden, bergen en veel kronkelende wegen om u van het een naar het ander te voeren. Geen wonder dat het een populair toevluchtsoord is voor uitgeputte werknemers uit Dubai.

De weg van Dubai naar het kleine emiraat Fujairah, met 144.000 inwoners, wordt in het weekend veel gebruikt. De aantrekkingkracht ligt voor velen zowel in de op- en neergaande wegen door het Hajargebergte als in de gouden stranden die wachten aan de andere kant. Het grootse probleem zal zijn om Dubai uit te komen. Ga richting Sharjah en vervolgens landinwaarts. 's Ochtends gaat de verkeersstroom de andere kant op. Volg vanaf de klokkentorenrotonde in Deira Route 74, die staat aangegeven als Al Sharjah, recht door het centrum van Sharjah. Volg daarna de borden naar het vliegveld van Sharjah. Ga bij de eerste rotonde die u tegenkomt rechtdoor, blijf de borden richting vliegveld volgen en neem de tweede afslag bij de volgende rotonde, volg weer de borden richting vliegveld.

U bevindt zich nu op de Al Dhaid-weg, ook wel Route 88, maar nog niet als zodanig aangegeven. Het is een brede driebaanssnelweg met aan weerszijden smeedijzeren lantaarnpalen en palmbomen. Rechts ligt Sharjah University, met majestueuze fonteinen in zijn tuinen. Dan komt **Sharjah Discovery Centre** (tel: 06 558 6577; za-di 9-14, wo 9-14, 15.30-20.30, do-vr 15.30-20.30), een wetenschappelijk themapark voor kinderen. Blijf op de linker rijstrook als u aan uw rechterhand de groene tuinen van **Sharjah National Park** (za-do 16-22, vr 10-22) passeert, een met landschapsarchitectuur verfraaid gebied van 630.000 m² met vijvers en een borstelskihelling. Als u de voorsteden van Sjarjah verlaat, verandert het landschap in gele, met struikgewassen begroeide zandduinen.

De stranden van Fujairah zijn een welkom toevluchtsoord van het stadsleven

Links: Grappige beelden verlevendigen een anders alledaagse rotonde

U rijdt verder op Route 88 en passeert bij Interchange 8 het **Sharjah Arab Culture Monument** aan uw rechterhand. De woestijn om de siertoren heen is een beschermd natuurgebied en u wordt aangeraden een auto met vierwielaandrijving te nemen om het losse zand ervan te verkennen. Het **Sharjah Natural History Museum and Desert Park** (tel: 06 531 1411, www.shjmuseum.gov.ae; ma-do, za 9-19, vr 10-20) ligt ook vlak bij Interchange 8, aan de andere kant van de snelweg. Dit is een goede plek om de benen te strekken; kinderen kunnen een kinderboerderij bezoeken. Het Wildlife Centre heeft ruim 100 diersoorten, van adders tot oryxen. In een nachtverblijf kunnen bezoekers een glimp opvangen van de nachtelijke activiteiten van soorten als de mangoeste, de honingdas en de jakhals. Niet alle soorten zijn inheems: bavianen en hyena's zijn op de een of andere manier overgekomen uit Afrika, maar ondanks deze anomalieën is het Desert Park van Sharjah een interessante plaats om te pauzeren.

Keer terug naar Route 88 en vervolg uw weg naar **Al Dhaid** (nu aangegeven). Sla als u Al Dhaid binnenrijdt op de eerste rotonde linksaf en rijd de met winkels geflankeerde hoofdstraat door. Sla bij de volgende rotonde rechtsaf en ga bij de volgende rechtdoor: u blijft op Route 88 en volgt de borden naar Masafi. Als u de uitlopers van het Hajargebergte binnenrijdt, kijk dan uit naar Friday Market: kraampjes aan weerszijden van de weg met tapijten, fruit, groenten, planten en, bizar genoeg, opblaasbaar kinderspeelgoed.

Blijf op deze brede, goed aangelegde weg tot aan Fujairah, nadat u door de barre heuvels bent gekronkeld. De omgeving is een kaal, stoffig landschap van heuvels en valleien: het is geen plek om te voet te doorkruisen. De wegen van Fujairah worden beheerst door een reeks rotondes. Rotondes zijn in feite een soort toeristische attractie in dit stille stadje, en in het midden ervan staan grappige beelden. Volg om recht naar de strandboulevard te gaan de borden voor de kustweg, die u bij de meeste rotondes rechtdoor zal voeren. Het Hilton-resort ligt aan de noordkant van de kustweg en is een goed adres voor een hapje en een drankje: niet-gasten kunnen gebruik maken van alle restaurants en, bij voorkeur, het eethuisje aan het strand. In het weekend ziet de kust vanaf het Hilton zuidwaarts naar Kalba zwart van de strandgangers die genieten van de tuinen en het brede zandstrand. Er is ruim voldoende parkeergelegenheid.

Fujairah is het jongste emiraat omdat het tot 1952 deel uitmaakte van Sharjah. Om het **Fujairah Museum** (tel: 09 222 9085, zo-vr 8-13, 16-18) te bezoeken, een gammel gebouw met exposities over de geschiedenis van Fujairah, slaat u linksaf nadat u Fujairah bent binnengereden en volgt u de borden. Er is sprake van om de inhoud te verplaatsen naar het fort (zichtbaar vanuit het museum) als de restauratie ervan is voltooid; vraag na bij het Fujairah Tourist Office (Fujairah Trade Centre, Sheikh Hamad bin Abdullah Road, tel: 09 223 1554).

Vanaf Fujairah is het 55 km noordwaarts naar Dibba, over Route 99. Blijf op de Corniche Street (strandboulevard) door het stadje **Khor Fakkan**, ga op de rotondes rechtdoor en voorbij het tankstation dat eruitziet als een kasteel. Khor Fakkan is vermaard om het scubaduiken en heeft diverse duikplaatsen, waaronder een aantal koraalriffen voor de kust. Kijk nadat u Khor Fakkan verlaten hebt uit naar de Al Bidiyah-moskee aan uw linkerhand, die dateert uit 1446. U kunt de auto aan de kant van de weg zetten en buiten gebedstijden de buitenkant van de moskee bekijken. Het dorp Bidiyah is uit circa 3000 v.C. en een van de oudste nederzettingen aan de kust van de Indische Oceaan. Achter de moskee herinneren twee wachttorens aan de invasies die deze kust door de eeuwen heen teisterden.

Het fort in de Old City van Fujairah

Sla bij de volgende afslag rechtsaf op Route 87 voor het mooie stadje Dibba. Voordat u de stad binnenrijdt, staat er een detonerend hoogbouwresort (Al Aqah Beach Resort van Le Meridien) en het hotel zal zeker spoedig vergezeld worden van andere bouwprojecten. Vanaf Dibba kunt u een boot huren om u naar Snoopy Island (de vorm van het eiland lijkt op het stripfiguurtje) te brengen waar u uitstekend kunt duiken en snorkelen. U kunt het tochtje boeken op het Sandy Beach Diving Centre in het Sandy Beach Motel (tel: 09 244 5555, www.sandybm.com). Dibba was in de 6e en 7e eeuw het strijdtoneel van vele veldslagen tussen islamitische machten uit Saoedi-Arabië en Arabische stamleden; uiteindelijk zegevierden de islamieten en lieten enorme begraafplaatsen achter bij Dibba.
Sla als u Dibba verlaten hebt, linksaf naar Route 18 en neem na 10 km de rechter afslag naar Sharjah. U bevindt zich nu weer op Route 88, dus keer terug door Al Dhaid en Sharjah. Vergeet niet om, als u het vliegveld van Sharjah en de universiteit passeert, linksaf te slaan op de rotonde aan het eind van Route 88 en rechtdoor te gaan op de volgende rotonde om naar Dubai te gaan. Rijd Sharjah niet in omdat de wegen slecht bewegwijzerd zijn en u zult verdwalen; als u de afslag mist, keer dan om en probeer nogmaals. Merk op dat het verkeer in Sharjah bijzonder gevaarlijk is. Buiten Sharjah staat Dubai aangegeven naar links.

Waar verblijven

Hilton Fujairah
✉ Rotonde Coffee Pot, Al Gurfa Street
☎ 09 222 2411; www.hilton.com

Le Meridien Al Aqah Beach Resort
✉ Bij Dibba, Fujairah
☎ 09 244 9000; www.lemeridien.com

Al Ain

Autotocht

AFSTAND 300 km rondreis **DUUR** Een dag; probeer te vermijden Dubai rond 8-9 uur te verlaten of er rond 17-18 uur terug te keren **BEGIN-/EINDPUNT** Interchange 1 167 E2
WAT MEENEMEN Kaart, verrekijker **WANNEER GAAN** Dagelijks

De hoogste berg van de Verenigde Arabische Emiraten is de Jebel Hafeet en u kunt helemaal naar de top rijden. Hier kijkt u uit over het lagergelegen Al Ain en ziet u waarom de stad bekendstaat als de 'Garden City'. Maar Al Ain heeft niet alleen maar tuinen; het heeft ook een heleboel rotondes en het kan verwarrend zijn om door de stad te rijden.

Hoe u zich een weg baant door de files van Dubai hangt ervan af waar u vertrekt. Al Ain staat aangegeven vanaf Interchange 1 op Sheikh Zayed Road, maar als u in Deira verblijft kan de gemakkelijkste weg naar buiten de stad zijn om over Garhoud Road te rijden, langs het vliegveld en dan rechtsaf te slaan, over de ringweg (Route 611) richting Academic City, totdat u borden ziet naar Al Ain en Hatta. Ga de driebaans Route 66 op, een rechte maar golvende rit van zo'n 100 km helemaal naar Al Ain. Langs de gehele weg zijn struiken geplant om te

De kamelenmarkt van Al Ain

voorkomen dat er zand overheen waait: men moet de planten elke dag drie keer water geven!

Aan uw rechterhand kunt u kamelenboerderijen zien tussen de duinen. Halverwege tussen Dubai en Al Ain is een rustplaats en diverse tankstations. Op 30 km van Al Ain begint u aan uw linkerhand bergen te zien. Al Ain is lokaal net zo bekend om zijn rotondes als om zijn tuinen: de reden wordt u duidelijk zodra u de stad binnenrijdt. 'Tourists Follow Brown Signs' is het goede advies dat wordt gegeven en u doet er goed aan het op te volgen. U kunt de groene Arabische borden grotendeels negeren.

Ga bij de eerste rotonde rechtdoor. Bij de tweede rotonde is **Hili Fun City** de (eerste) afslag naar rechts. Neem deze afslag als het gezin schreeuwt om een bezoekje aan een middelmatig lunapark. Neem anders de linker (derde) naar het **National Archaeological Park** (dag. 16-23, behalve feestdagen 10-23, 1 Dh) van Al Ain, waar voorwerpen te zien zijn die gevonden zijn in enkele van de 5000 jaar oude graftombes bij Hili.

De stad Al Ain begon als een belangrijke oase op de routes van de kamelenkaravanen van de handelaren uit Oman. De stad is nog steeds befaamd om zijn groen, het resultaat van ondergrondse bronnen, waar u zich in enkele kunt wentelen nabij de topattractie van Al Ain, **Jebel Hafeet**, met 1160 m de hoogste berg van de VAE. Een goede weg leidt u naar de top van de berg waarvandaan u een geweldig uitzicht hebt over de stad.

Het uitzicht vanaf Jebel Hafeet

Ga vanaf het National Archaeological Park rechtdoor bij de volgende twee rotondes en ga bij de derde linksaf. Volg nu over de volgende zeven rotondes de borden naar het stadscentrum. Hier ziet u bruine borden voor Jebel Hafeet en groene voor Mubazzarah. Sla linksaf voor Jebel Hafeet, die u vóór zich ziet opdoemen. Sla nogmaals linksaf bij de rotonde met het beeld van een bergschaap en volg de borden naar Jebel Hafeet en Mubazzarah, een resort met warme springbronnen voor bezoekers aan de rechterkant van deze weg. Na de afslag naar Mubazzarah wordt de weg erg kronkelig en wordt de maximumsnelheid voor de 13 km lange klim verlaagd tot 30 km/u. Op de top heeft u aan beide kanten prachtig uitzicht over de Emiraten. U kunt ontspannen onder het genot van een hapje in het Accor-hotel op de bergtop, of kijken naar de zonsondergang en er overnachten.

Waar winkelen

Grand Hotel Jebel Hafeet

☎ 03 783 8888; www.mercure.com

3 Al Maha

Autotocht

AFSTAND 70 km **DUUR** Om de dieren te bekijken, zult u moeten overnachten in Al Maha
BEGIN-/EINDPUNT Ophaalplaats bij Interchange 1 167 E2
WAT MEENEMEN Alles, inclusief verrekijker, is verzorgd **WANNEER GAAN** Winter

Het Dubai Desert Conservation Reserve is een van de juweeltjes van Dubai: een wildreservaat van 225 km² in de zandduinen waar zeldzame oryxen worden gefokt en inheemse planten en dieren gedijen. Het is een betoverende plek. Het nadeel is dat u in het bijbehorende resort, Al Maha, dient te verblijven om het reservaat te verkennen.

Aan een weg bij de snelweg Dubai-Al Ain, circa 70 km van de stad, ligt een van de bijzonderste attracties van Dubai. Men heeft een enorm woestijngebied omheind en voorzien van de flora en fauna van het Arabisch schiereiland. Het Al Maha Desert Resort and Spa ligt midden in dit natuurreservaat en wilde oryxen, met hun afschrikwekkende kromzwaardachtige hoorns, zwerven vrij rond tussen de 40 luxueuze in tenten ondergebrachte verblijven. Gasten kunnen tijdens het ontbijt op het terras gazellen bekijken die wroeten naar vegetatie, of een ritje maken op een kameel om de zonsondergang te bekijken met een glas champagne.

Wilde oryxen brengen de buren in Al Maha een bezoekje

Het verblijf in Al Maha heeft de vorm van luxueuze tenten

Al Maha, het grootste natuurbeschermingsgebied van de Emiraten, bestaat sinds 1998. Het had aanvankelijk een fokstapel van 70 oryxen van twee soorten: de Arabische oryx en de sabeloryx. Nu heeft het reservaat 360 oryxen, evenals vier soorten gazellen, waaronder de Thomsongazelle en de kropgazelle. Het reservaat wordt bezocht door zo'n 40 soorten vogels, en scherpziende bezoekers zullen de sporen ontdekken van reptielen en knaagdieren. Het resort wordt aan alle kanten omgeven door het golvende landschap van de woestijn van Dubai. Goed geïnformeerde gidsen leiden wildtochten of geven les in boogschieten, valkerij of paardrijden. Maar Al Maha is geen 'back-to-basics' safari-ervaring; het 160 man sterke personeel zorgt dat aan alle luimen van de gasten wordt voldaan. De verblijven hebben elk hun eigen dompelbad, plus verrekijkers en wildspotboekjes. De tentsuites hebben bedden van mahoniehout uit Oman en zandstenen tegels uit Ras Al Khaimah. De aanwezigheid van zulk prachtig wild in korte nabijheid betekent dat de luxe van het verblijf niet doordringt. Het is duidelijk een speciaal resort, maar de woestijn overtreft het.

Handige informatie

Dubai Desert Conservation Reserve

☎ www.ddcr.org

Al Maha

Gasten blijven meestal twee of drie nachten; u zult waarschijnlijk genoeg zien als u slechts één nacht blijft.

☎ 343 9595; www.al-maha.com

4 Stranden van Jumeirah

Rondreis

BEGIN-/EINDPUNT Jumeirah Beach Corniche, dicht bij Dubai Marine Beach Resort 168 B5
DUUR Een dag, als u een taxi neemt tussen de stranden

Goud zand, helderblauwe zee en altijd aanwezige zon: de stranden van Dubai trekken vele bezoekers.

Alle stranden van Dubai, behalve het openbare strand in Al Mamzar Beach Park (➤ 46) liggen aan de kant van de Creek waar Jumeirah ligt. De kust strekt zich van de volgebouwde buitenwijken achter het openbare strand van Jumeirah bij Port Rashid helemaal uit langs het Burj Al Arab-hotel tot de Jebel Ali-haven, een afstand van circa 40 km. De kust is een mix van openbare stranden, strandparken waar een kleine entree wordt geheven en particuliere stranden van hotels. De hotelstranden zijn vaak schoongemaakt en kunnen faciliteiten hebben als een omkleedgedeelte, ligstoelen, hapjes en drankjes en watersporten. Vergeet niet dat als u verblijft in een hotel in de binnenstad dat een zusterhotel heeft met een strand, u daar wellicht gratis gebruik van mag maken; dit geldt onder andere voor het Sheraton, Le Meridien, Jumeirah en de Hilton-hotels. De kust van Dubai heeft geen baaien, dus er worden golfbrekers gebruikt om het strand af te scheiden.

De kwaliteit van het water is over het algemeen goed, maar denk eraan dat er een onderstroom is. Sommige stranden kunnen strandwachten hebben en kunnen zwemmen verbieden als er geen strandwacht aanwezig is. De bouwwerkzaamheden in de Golf aan de drie Palmeilanden en nieuwbouwproject The World veroorzaken problemen voor sommige hotelstranden door extra slib en een minder goed zicht. Hopelijk zal dit een tijdelijk probleem zijn.

De autoriteiten van Dubai leggen steeds meer beperkingen op aan watersporten zoals jetskiën en kitesurfen op de openbare stranden. Kitesurfers trekken verder weg van de centrale stranden om hun sport te beoefenen in minder ontwikkelde gebieden waar ze niet gehinderd worden door golfbrekers. Het Jebel Ali-strand, dat zich uitstrekt van het Jebel Ali Golf Resort and Spa tot de grens met Abu Dhabi is het meest onbedorven strand van Dubai, maar het plan om het Jebel Ali Palmeiland vlakbij aan te leggen kan hier verandering in brengen. Nu is dit de favoriete bestemming van kitesurfers en iedereen die wil luieren tussen echte zandduinen in plaats van de met landschapsarchitectuur aangelegde tuinen van de hotelstranden.

Toeristen genieten van het strand van Jumeirah

Gebruik van particuliere stranden

Le Meridien Mina Seyahi Beach Resort and Marina
Toegang tot het strand bij dit stijlvolle hotel kost 100 Dh (zo-wo), 200 Dh op donderdag en zaterdag (brunch inbegrepen) en 250 Dh op vrijdag. ☎ 399 3333

Sheraton Jumeirah Beach Resort and Towers
De toegang tot het strand van het Sheraton is gratis voor gasten van andere Sheraton-hotels in de stad, maar in overige gevallen zullen volwassenen 100 Dh moeten betalen en kinderen (6-16 jaar) 60 Dh (za-wo). Op donderdag stijgt de prijs voor volwassenen tot 120 Dh, en op vrijdag is er een buffetlunch (met toegang tot het strand) die 120 Dh kost voor volwassenen en 90 Dh voor kinderen. Kinderen mogen gebruikmaken van de Pirates Club, die toezicht heeft. Voor volwassenen zijn er watersporten beschikbaar. ☎ 399 5533

Jumeirah Beach Club
Niet-leden mogen hier gebruikmaken van het strand als ze voor 499 Dh het arrangement 'One Day of Pampering' kopen van de Beach Club; lunch en twee kuuroordbehandelingen inbegrepen. ☎ 310 2759

One&Only Royal Mirage
Buiten de hoogseizoenen is het strand van de Royal Mirage toegankelijk voor niet-gasten: bel van tevoren. Als niet-gasten worden geaccepteerd, kost toegang tot het zwembad en het strand 125 Dh, maar kinderen mogen geen gebruik maken van de kinderfaciliteiten van het hotel. ☎ 399 9999

Habtoor Grand Resort
Toegang tot het strand van het Habtoor kost 150 Dh voor volwassenen en 90 Dh voor kinderen (jonger dan 12), en de prijzen kunnen op vrijdag stijgen tot respectievelijk 200 Dh en 120 Dh. ☎ 399 5000

The Ritz-Carlton
Het duurste strand is van het Ritz-Carlton, waar doordeweeks 200 Dh gerekend wordt voor volwassenen en 100 Dh voor kinderen, en 300 Dh en 125 Dh op donderdag. Op vrijdag is het terrein alleen voor hotelgasten. Er zijn watersporten beschikbaar. ☎ 399 4000

Jumeirah Beach Hotel
De toegangsprijs van het strand van dit hotel is 350 Dh per persoon, maar is inclusief een consumptiebon van 100 Dh, afhankelijk van beschikbaarheid.
☎ 348 0000

Oasis Beach Hotel
De reputatie van het Oasis Beach Hotel dat u waar voor uw geld krijgt, strekt zich uit naar zijn strandpas voor niet-gasten, die 85 Dh kost voor volwassenen (kinderen jonger dan 12 halve prijs). Op vrijdag kunnen bezoekers genieten van een barbecue en toegang tot het strand voor 160 Dh. Watersporten zoals waterskiën en windsurfen zijn beschikbaar voor een extra bedrag.
☎ 399 4444

Hilton Dubai Jumeirah
Niet-gasten betalen bij het Hilton 100 Dh voor toegang tot het strand, of 55 Dh als ze jonger zijn dan 12. Op vrijdag zijn de kosten 130 Dh en 55 Dh voor kinderen. Onder de faciliteiten vallen de Kidz Paradise Club en een kinderspeelgedeelte op het strand. Activiteiten zijn beachvolleybal, waterskiën, windsurfen, zeilen, parasailing en vissen. ☎ 399 1111

Tips
Hoewel de autoriteiten van Dubai geen bezwaar hebben tegen het dragen van bikini's op de stranden is topless zonnen niet toegestaan. En het is raadzaam voor zowel mannen als vrouwen om zich te bedekken als zij het strandgebied verlaten. Het strand van Jumeirah is een mix van openbare en particuliere gedeeltes. U kunt betalen om de particuliere stranden op te gaan of gratis zonnebaden op de openbare stranden; maar wees gewaarschuwd dat vrouwelijke zonnebaders een mannelijk publiek kunnen aantrekken in de openbare gedeeltes.

Hatta

Autotocht

AFSTAND 120 km **DUUR** Trek er een dag voor uit, of overnacht in het Hatta Fort Hotel
BEGIN-/EINDPUNT Interchange 1, Sheikh Zayed Road 167 E2
WAT MEENEMEN Auto met vierwielaandrijving, water, voedsel, sleepkabel, schep, mobiele telefoon
WANNEER GAAN Winter, druk in het weekend

Hatta is een klein bergstadje met twee belangrijke attracties: een goed hotel en een serie getijdepoelen bereikbaar met auto's met vierwielaandrijving. Als u maar één tocht buiten Dubai maakt, neem dan deze.

Er zijn genoeg sporen van het water dat vanuit het omringende Hajargebergte naar beneden stroomt naar Hatta: wegen zijn aangelegd over wadi's (droge rivierbeddingen), het hotel van het stadje is een groene oase en dan zijn er nog de Hatta Rock Pools zelf. De diepe, donkere waterpoelen tussen het door de wind bewerkte en geërodeerde gesteente liggen een 45 minuten durende off-road-rit de bergen in en als u in het weekend gaat, zult u die ervaring delen met een heleboel weekendtoeristen uit Dubai. De rit van een uur naar Hatta is niet moeilijk, maar naar de Pools hebt u een gedetailleerde routebe-

Hatta Fort Hotel

De ultieme offroad-ervaring: kies uit quads, strandbuggy's en auto's met vierwielaandrijving

schrijving nodig; u kunt een kaart en uitvoerige routebeschrijving halen bij het Hatta Fort Hotel. U hebt het Blauwe routepakket nodig.

Om Hatta te bereiken, verlaat u Dubai via **Route 44**. Deze staat aangegeven op Sheikh Zayed Road vanaf Interchange 1 en passeert het Ras Al Khor Wildlife Sanctuary (➤ 71). Deze weg voert u helemaal tot Hatta en onderweg zijn er tankstations waar u eten en brandstof kunt kopen. Als u de omgeving van Dubai verlaat, beginnen de zandduinen het landschap over te nemen. Aanvankelijk zijn ze bedekt met struikgewas, vervolgens worden het de klassieke, door de wind gevormde duinen van de woestijnen van het Emiraat. Ongeveer **halverwege naar Hatta**, op het 50 km-punt, heeft een aantal quad- en motorfiets-touroperators aan weerszijden van deze weg hun winkel opgezet. In het weekend is het hier erg druk, met inwoners van Dubai die quads huren. Denk eraan dat quads niet de veiligste dingen zijn en u zich kunt verwonden als u omrolt: wees voorzichtig. Strandbuggy's hebben veiligheidskooien en zijn een veel veiligere optie als u uw innerlijke rallyrijder wilt ontketenen. Eigenaren van auto's met vierwielaandrijving nemen deze ook mee om ermee in de woestijn te rijden. Links in de verte ligt de roestkleurige **Big Red**, het grootste duin van Dubai. Het stelt off-road-rijders voor een onweerstaanbare uitdaging. Laat u niet verleiden off-road te gaan tenzij u met twee auto's bent en weet hoe u veilig moet rijden in de woestijn.

Na een tankstation verkoopt een rij winkels aardewerk en tapijten en in de verte liggen de uitlopers van het Hajargebergte. Als u Hatta binnenrijdt, komt u een rotonde tegen: het Hatta Fort Hotel is naar links en Hatta en zijn attracties zijn naar rechts. Als u rechtdoor gaat, rijdt u na 10 km Oman binnen.

Het **Hatta Fort Hotel** is een aantrekkelijk, kleinschalig resort op een met gras bedekte helling. Bezoekers kunnen eten in het restaurant en gedetailleerde kaarten kopen van de bergwegen in de cadeauwinkel van de foyer. Ook kunnen zij rondleidingen met begeleiding naar de Hatta

Rock Pools organiseren; dit kan een goede optie zijn als u liever geen auto huurt.

Als u het centrum van Hatta binnenrijdt, zult u borden zien naar het Hill Park; dit is gewoon een uitkijkpunt. Negeer ze en rijd bergopwaarts door het stadje totdat u aan uw linkerhand de borden naar **Hatta Heritage Village** ziet. De weg slingert en kronkelt totdat u het dorpje (tel: 852 1374; za-do 8-20:30; vr 14:30-20:30; tijdens de ramadan za-do 9-17, vr 14-17) bereikt aan uw linkerhand. Het Village opende in 2001 zijn deuren en heeft tot doel te laten zien hoe het leven in de bergen was; net als het Heritage House in Dubai (➤ 45) gebruikt het taferelen om de bezoeker een glimp in het plattelandsleven te gunnen. Verdediging tegen rovers en indringers was een van de voornaamste zorgen van de dorpelingen en een fort is het middelpunt van het Heritage Village. Het is gebouwd in 1896 door sjeik Maktoum bin Hashr Al Maktoum. Er zijn nog 30 andere gebouwen in het dorp, waaronder een Shari'a-moskee, een traditioneel huis en gemeenschapshuis, gebruikt voor bruiloften en bijeenkomsten. De locatie van het dorp is 2000-3000 jaar oud, maar de meeste gebouwen zijn niet ouder dan 200 jaar.
Blijf, als u het dorp verlaat, op dezelfde weg en rijd verder, weg van Hatta. Bij de volgende kruising, een rotonde vóór een moskee, slaat u linksaf en volgt u de weg, die een bocht maakt. Neem na 1 km de tweede weg rechts, wat lijkt op een weg door een woonstraat met een reeks verkeersdrempels. Volg deze rechte weg 7 km door het dorp Qiman. Neem aan de andere kant van het dorp de grindweg naar rechts. Dit is de weg naar de **Rock Pools van Hatta** en het is een off-roadrit van 10 km langs zandwegen en wadi's, naar een parkeerterrein. Rijd rechts aangezien auto's met flinke snelheid terug kunnen keren van de poelen en er veel blinde heuvelranden en bochten zijn. Denk eraan dat uw mobiele telefoon hier geen ontvangst heeft, dus als u een botsing of pech krijgt zult u het zelf moeten verhelpen of op voorbijgangers moeten vertrouwen. Met een auto met vierwielaandrijving is het echter geen moeilijke rit.

Als u vroeg begonnen bent en er een dagje van wilt maken, kunt u verder rijden langs de getijdepoelen, nadat u een duik heeft genomen, en langs een reeks wadi's (opgedroogde waterwegen) rijden en een lus maken die weer naar het Hatta Fort Hotel voert. Het is een route van 121 km en zou 6 uur moeten duren; volg de gedetailleerde beschrijvingen op de Blue Routekaart van het hotel. Off-road rijden is erg leuk en enorm populair in Dubai. De meeste touroperators bieden dagtochten aan van Dubai naar

Exposities in het Hatta Heritage Village

Hatta, of u kunt auto's met vierwielaandrijving huren bij de meeste grotere autoverhuurbedrijven in de stad (➤ 26).

Om naar het Hatta Fort Hotel terug te gaan, keert u om en volgt de weg waarover u aankwam.

Waar verblijven

Hatta Fort Hotel
☎ 852 3211; www.jebelali-international.com

6 Bur Dubai

Wandeling

AFSTAND Circa 2 km **DUUR** 30 minuten tot 3 uur, afhankelijk van pauzes
BEGINPUNT Sheikh Saeed Al Maktoum House 170 B4

Bur Dubai is een van de oudste buurten van Dubai en zeker de meest lonende om te voet te verkennen. De belangrijkste bezienswaardigheden liggen in een lint langs de Creek, die een dynamische achtergrond vormt voor de wandeling.

1–2

Begin bij het **Sheik Saeed Al Maktoum House** bij de monding van de Creek, waar de waterweg landinwaarts buigt. Hiervandaan kunt u over het water de wijk Al Ras van Deira zien en de twee moskeeminaretten in Bur Dubai: op gebedstijd draagt de roep van de muezzin over het water. Sheikh Saeed Maktoum House, waar de voormalig heerser van Dubai woonde van 1912 tot 1958, documenteert de overgang van Dubai van woestijndorp tot handelshaven, een overgang die hij aanstichtte. In de zalen binnen worden historische foto's gebruikt om het verhaal te vertellen (➤ 61-62). Met een parkeerterrein voor bussen en touringcars aan uw rechterhand kijkt u uit op het blokachtige Ministry of Finance and Industry. Volg de kreek naar links, waar enkele zonneschermen zijn. Voordat u bij de *abra*-stations van Bur Dubai komt, waar vandaan werknemers de Creek oversteken naar Deira, voert het pad langs een aantal kebab- en shishakraampjes. *Abra's* vervoeren dagelijks tussen de 15.000 en 30.000 mensen over de Creek. Het is geen wonder dat de *abra*-stations een gewoel van wachtende en uitstappende passagiers kunnen zijn.

2–3

Sla na het drukke *abra*-station van Bur Dubai eerst rechtsaf en dan linksaf het overdekte steegje van de **Old Souk** in waar u allerlei soorten kraampjes passeert waar men kleding, hapjes, stoffen, elektronica en, bij de kraam van Golden Arrows, nieuwigheden zoals haaienkaken verkoopt. Men brengt hier zijde en satijn uit het Verre Oosten; meestal kunt u met onderhandelen de prijs naar beneden krijgen.

Handelaars nemen een welverdiende pauze

3–4

Loop door totdat u het einde van de souk en de **Grand Mosque** bereikt. Deze moskee is een van de grootste van Dubai, met plaats voor 1200 personen. Hij kan zich, met 70 m, ook beroemen op de hoogste minaret van alle moskeeën van Dubai: deze minaret ziet u vanuit Deira en vanaf het beginpunt van de wandeling.

4–5

Sla voordat u de moskee passeert rechtsaf, van de Creek af en bergopwaarts. Het **Dubai Museum** (➤ 62-63) in het gedrongen Al Fahidi Fort ligt vóór u. De ingang ligt aan de andere kant, voorbij een schip dat gebruikt werd om naar parels te duiken, een *sambuk*. Het Al Fahidi Fort is een van de oudste gebouwen van Dubai en dateert uit 1799, toen het gebouwd werd als een zeeverdediging tegen plunderende piraten en vijandige vloten. De renovatie begon in 1970 om er een museum van te maken en een nieuw gedeelte is geopend onder de binnenhof, die de 4000-jarige geschiedenis van Dubai toelicht met een reeks interessante themazalen. Een bezoek wordt aangeraden.

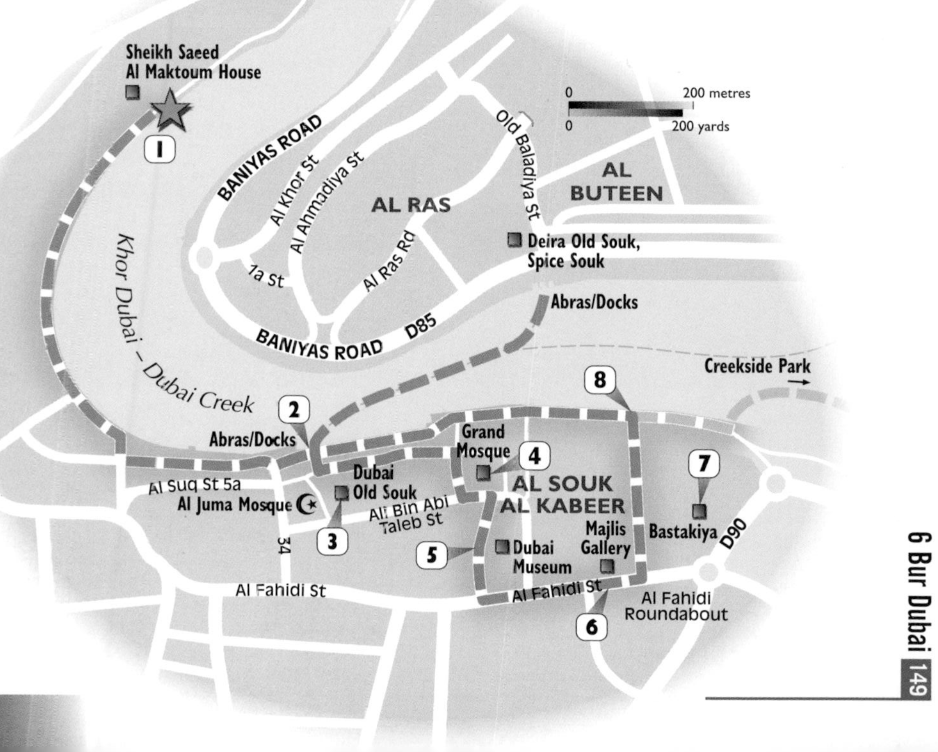

5–6
Sla nadat u het museum verlaten heeft linksaf en loop Al Fahidi Street door, over een kleine kruising om uit te komen bij een rij winkels met neonverlichting. Aan het einde van Al Fahidi Street, vóór de rotonde, bereikt u de **Majlis Gallery**, een van de hoogst aangeslagen kunstgalleries van Dubai. U kunt pauzeren voor een hapje en een drankje bij het uitmuntende Basta Art Café ernaast, dat een serene binnenhof heeft.

6–7
Sla na de Majlis Gallery linksaf weer terug naar de Creek, door de gerenoveerde wijk **Bastakiya** (➤64-65), een traditionele buurt die nu een van de belangrijkste erfgoedgebieden van Dubai is.

7–8
Terug bij de Creek heeft u twee mogelijkheden. U kunt linksaf slaan, langs de met keien bestrate waterkant lopen en met een *abra* de Creek oversteken voor een winkeltochtje naar de **Spice Souk** (➤40) als u in Deira verblijft. De overtocht kost slechts 1 Dh en is te verkiezen boven het drukke verkeer. Of u kunt rechtsaf slaan en een privé-*abra* huren van de eigenaren die bij elkaar zitten op de trap een paar meter langs de waterkant. Het kost 50-70 Dh om verder de Creek op te varen naar het Creekside Park via een snelle tussenstop bij de Spice Souk. Onderweg kunt u de gebouwen aan de andere kant van de Creek afvinken: het Intercontinental is het oudste vijfsterrenhotel van de stad en ligt achter een rij aangemeerde dhows, bijna tegenover Bastakiya. Het smalle, gekromde gebouw is de National Bank of Dubai en het volgende driezijdige gebouw, van blauw glas, is de Dubai Chamber of Commerce. Aan de dhow-kaden voorbij deze torens meren de handelaren hun dhows aan voor de nacht. U vaart onder de Maktoum Bridge door en ontdekt dan aan uw linkerhand de onmiskenbare Dubai Creek Golf and Yacht Club. Aan de rechterkant van de Creek ligt het Creekside Park waar u kunt lunchen voordat u de taxi terug neemt naar uw hotel in Bur Dubai of Jumeirah.

Ga te voet langs de Creek of maak een tochtje op een van de vele lokale *abra's*

7 Tocht door de woestijn

Rondreis

Zodra u de stad Dubai verlaat, bent u omgeven door met struiken begroeide vlaktes en vervolgens door klassiek gevormde woestijnzandduinen. Een deel is particulier eigendom, zoals Al Maha (➤ 141); andere plekken, zoals de zandduin Big Red op weg naar Hatta (➤ 145), zijn toegankelijk voor alle publiek. Voor velen, bezoekers, maar ook expats en lokale bewoners, is het verkennen van deze duinen een net zo belangrijke Dubai-ervaring als het laten wapperen van de creditcard in de winkelcentra.

AFSTAND Varieert
TOUR OPERATORS ➤ 154

Om dit deel van de Sahara/Arabische woestijn met eigen ogen te zien heeft u twee mogelijkheden. U kunt reizen met een van de touroperators die genoemd zijn op pagina 154. De meeste bieden woestijnsafari's in auto's met vierwielaandrijving en sommige, zoals Arabian Adventures, kunnen ook lessen regelen in woestijnrijden zodat u kunt leren een voertuig in het zand te beheersen. Het is niet zo eenvoudig als het lijkt. Deze tochten variëren van een halve dag tot kampeertochten met overnachtingen in de woestijn. Normaal gesproken wordt alles, inclusief water en het ophalen vanaf uw hotel, verzorgd en is het inbegrepen in de prijs.

Het alternatief voor het meegaan met een reisgezelschap is om zelf een auto met vierwielaandrijving te huren. Met een voertuig dat hopelijk minder temperamentvol is dan de gemiddelde kameel bent u vrij om de lokale bewoners te vergezellen op de duinen en het losse zand op uw gemak te verkennen. Maar, hoe romantisch het ook klinkt, er zijn een paar grondregels. Als

Safaritochten met auto's met vierwielaandrijving worden steeds populairder

u geen woestijnrijlessen heeft gevolgd bij een van de operators van pagina 154 en als u voor het eerst off-road rijdt, kunt u beter een georganiseerde woestijnsafari boeken. De woestijnen van de Verenigde Arabische Emiraten zijn ruwe omgevingen en u kunt er maar beter niet in de problemen raken. De regel is dat u altijd met meer dan één voertuig moet reizen: misschien moet u uit een zandkuil getrokken worden en het is altijd veiliger om een reservevoertuig te hebben. Dit kan betekenen dat uw groep twee auto's moet huren, zelfs als u met zijn allen in één auto zou passen. Als u eenmaal twee voertuigen startklaar hebt, denk er dan aan om een sleepkabel en schep mee te nemen voor het geval u uzelf moet uitgraven uit het zachte zand, en genoeg water voor iedereen (een paar liter per persoon). Het is ook raadzaam om voedsel en een EHBO-trommel mee te nemen. Ervaren woestijnrijders nemen ook een extra grote krik mee (niet alleen om lekke banden te vervangen, maar ook om de auto uit de problemen te tillen) en een grote houten plank om de krik op te zetten zodat die niet wegzinkt in het zand. Met een compressor kunt u bovendien de banden naar behoefte oppompen en leeg laten lopen. Wees er ten slotte op bedacht dat mobiele telefoons niet altijd bereik zullen hebben: vertrouw hier niet op. Vertel altijd iemand waar u heen gaat en wanneer u verwacht terug te zijn.

Over zand rijden is lastig maar opwindend

Rijden in de woestijn

Als u zich gehouden hebt aan de eerste twee regels van woestijnrijden – altijd met twee of meer voertuigen rijden en altijd genoeg water meenemen – zult u bij de eerste gelegenheid de weg willen verlaten. De meest voor de hand liggende plek om te oefenen in woestijnrijden is op de zandduin die bekendstaat als Big Red, die circa een halfuur van Dubai ligt op Route 44 naar Hatta. U moet uw bandenspanning verlagen van ongeveer 2,41 bar voor het rijden op de weg naar ongeveer 1,24 bar voor het rijden op zand. Zachtere banden zakken niet zo diep weg in het zand en bieden meer grip. Woestijnrijders pro-

beren vooral zacht zand te vermijden. Er zijn een paar trucs waarmee u zacht zand kunt ontdekken, maar het kan maanden duren voordat u er bedreven in raakt.

Dit zijn de basistips:

- Duinen met scherpe kammen zijn pas gevormd en daarom zacht.
- Het zand aan de lijzijde van een duin heet een 'pocket' en is meestal zacht, dus rijd niet over de kam van een duin tenzij u weet wat er zich aan de andere kant bevindt. Kijk uit welke richting de wind komt zodat u kunt schatten waar zich pockets bevinden.
- Als de zandribbels dicht bij elkaar liggen is het zand hard; hoe verder de ribbels uit elkaar liggen, hoe zachter het zand.
- Rij maximaal 30 km/u.
- Als u weg begint te glijden, stuur dan in de richting waarin u glijdt anders lopen de banden van de velgen.

Als u toch vast komt te zitten in het zand zal het tweede voertuig u eruit moeten trekken, anders moet u de schep gebruiken. Als u toch verdwaalt kunt u de wind of de zon gebruiken om te navigeren – maar aangezien een GPS-systeem ('global positioning system') wettelijk verplicht is in off-roadvoertuigen zal dat meestal niet nodig zijn.

Waar rijden in de woestijn?

De zandduin Big Red is de meest voor de hand liggende bestemming voor off-roadrijden. U kunt met uw eigen auto met vierwielaandrijving gaan of zelfs een strandbuggy of quad huren. Quads kunnen gevaarlijk zijn en een voertuig met rolstang biedt meer bescherming bij een ongeluk. De kustweg naar Ras Al Khaimah biedt ook talrijke mogelijkheden tot off-roadrijden op plekken als Wadih Bih. Hoewel de Verenigde Arabische Emiraten voor ruim de helft uit woestijn bestaan, zijn er ook andere ecosystemen zoals bergen en (zout)vlaktes en het is zeer de moeite waard om het Hajargebergte en wadi's te verkennen. Een populaire weekendexcursie voor inwoners van Dubai is een rit naar de getijdepoelen van Hatta Rock Pools (➤ 145): hoewel er een weg loopt, dient u dezelfde voorzorgsmaatregelen te treffen.

De UAE Desert Challenge

Deze jaarlijkse woestijnrally is een belangrijk evenement in de Emiraten en vindt plaats in november. De route start meestal in Abu Dhabi en offroad motoren, auto's en trucks razen 6 dagen door een spectaculaire woestijnomgeving naar het oosten richting Dubai. Als u in Dubai bent loont het de moeite om de start of finish van een etappe te zien. Zie pagina 21 voor details.

Zandduin The Big Red is dé bestemming voor het offroadrijden

TOUR OPERATORS

Alpha Tours
Individuele tours, wadibeuken, culturele avonden en woestijnavonturen.
☎ 294 9888; www.alphatoursdubai.com

Arabian Adventures
Een breed scala aan tours waaronder stadstours, woestijnsafari's, dhow-cruises en activiteiten als sandboarden en woestijnrijden.
☎ 308 4888; www.arabian-adventures.com

Desert Rangers
Woestijnsafari's, vissen, dhow-cruises en een breed scala aan prikkelende activiteiten waaronder sandboarden, bergbeklimmen, woestijnrijlessen en rijden met strandbuggy's.
☎ 340 2408; www.desertrangers.com

Desert Rose Tourism
De gebruikelijke woestijntours en activiteiten plus een tocht met persoonlijke begeleiding door Dubai met uw eigen chauffeur.
☎ 335 0950; www.holidayindubai.com

Gulf Ventures
Kan unieke ervaringen en tochten verzorgen, waaronder ballonvluchten, pololessen, tochtjes in een speedboot en kamelensafari's.
☎ 209 5568; www.gulfventures.org

Lama Desert Tours
Biedt een gevarieerde keuze uit tochten waaronder een 4-uur durend winkeluitstapje, woestijnrijden, trekken, tochten naar Hatta, Al Ain, Abu Dhabi en de oostkust.
☎ 335 7676; www.lamadubai.com

Net Tours
Safari's met kamelen, valkerij en sandboarden of trekken bij Hatta. Biedt ook een winkeltochtje door Dubai.
☎ 266 6655; www.nettoursdubai.com

Orient Tours
Een in Sharjah gevestigde operator met een fantasierijk scala aan tochten waaronder de karavaanroute langs de kust naar het Emiraat Ras Al Khaimah, een tocht door de bergen van de Emiraten en een nacht kamperen onder de sterrenhemel in de woestijn.
☎ 282 8238; www.orienttours.ae

Offroad Adventures
Probeer wadibeuken, woestijnrijden, kamperen of een verscheidenheid aan watersporten.
☎ 343 2288; www.arabiantours.com

Voyagers Xtreme
Alles van dagtochten, skydiven en woestijnrijden tot hun 'One Wild Week in the Emirates'-avontuur.
☎ 345 4504; www.turnertraveldubai.com

Wonder Bus
Bekijk Dubai vanuit een half-amfibische bus die op wegen kan rijden en over de Creek kan varen. De 2 uur durende tocht begint bij het BurJuman Centre.
☎ 359 5656; www.wonderbusdubai.com

Big Bus Company
Beheert acht dubbeldekkerbussen die rondrijden door Dubai met informatief Engels commentaar.
☎ 324 4187; www.bigbus.co.uk

Car Hire
Avis: tel 295 7121; www.avisuae.com
Budget: tel 295 6667; www.budget-uae.com
Hertz: tel 224 5222 www.hertz.com
National: tel 335 5447;
www.national-me.com
Thrifty: tel 800 4694; www.thriftyuae.com

Praktische informatie

INFORMATIE VOORAF

- Officiële site van het Department of Tourism and Marketing: www.dubaitourism.ae
- Lokale krant: www.gulf-news.com
- Vliegvelden Dubai: www.dubaiairport.com
- Winkelcentra: www.dubaishopping-malls.com
- Politie: www.dubaipolice.gov.ae

VOOR UW VERTREK

WAT HEBT U NODIG

● Vereist
○ Aanbevolen
▲ Niet vereist
△ Niet van toepassing

In sommige landen is het verplicht dat een paspoort nog geldig is voor een minimale periode (meestal zes maanden) na de datum van aankomst: ga na voordat u boekt

	Gr-Brittannië	Duitsland	VS	Canada	Australië	Ierland	Frankrijk	Italië
Paspoort/identiteitskaart	●	●	●	●	●	●	●	▲
Visum (bepalingen kunnen veranderen: ga na voordat u boekt)	▲	▲	▲	▲	▲	▲	▲	▲
Doorgangs- of retourticket	●	●	●	●	●	●	●	●
Inentingen (tetanus en polio)	▲	▲	▲	▲	▲	▲	▲	▲
Ziektekostenverzekering	▲	▲	▲	▲	▲	▲	▲	▲
Reisverzekering	○	○	○	○	○	○	○	○
Rijbewijs (nationaal)	●	●	●	●	●	●	●	●
Groene kaart	●	●	●	●	●	●	●	●
Kentekenbewijs	●	●	●	●	●	●	●	●

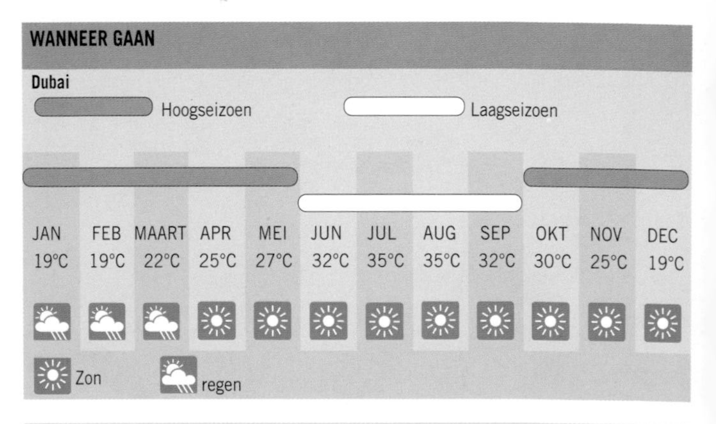

Het hoogseizoen is van oktober tot mei. Gedurende deze periode zijn december en januari de drukste maanden van het jaar, dan moeten hotels van tevoren geboekt worden.
Dubai heeft een woestijnklimaat. Er valt zelden meer dan 120 mm regen per jaar. De temperatuur varieert van een minimum van 15 °C in de winter tot een maximum van 48 °C in de zomer. Ook de vochtigheidsgraad is enorm hoog in de zomer, ruim 90 procent. Januari, de meest gematigde maand, heeft een gemiddelde dagtemperatuur van 19 °C. In de winter zal de temperatuur in de bergen en 's nachts verder dalen en dan kunt u een trui of jas nodig hebben. U kunt het hele jaar zon en blauwe luchten verwachten.

In Gr-Brittannië
125 Pall Mall, London SW1Y 5EA; tel 020 7839 0580

☎06 4889 9253

In Noord-Amerika
25 West 45th Street, Suite 405, New York, NY 10036

☎212 575 2262

In Australië en Nieuw-Zeeland
75 Miller Street, Sydney, NSW 2060

☎61 2 9956 6620

AANKOMST

Dubai ligt op het kruispunt van Europa en Azië, de vliegtijd vanaf Londen is 7-8 uur, een vlucht vanuit New York duurt 13 uur.
Dubai International Aiport (►26) verwelkomt meer dan 80 luchtvaartmaatschappijen van over de hele wereld, dankzij een 'open sky'-beleid.

TOERISTISCHE INFORMATIE

*Het **Dubai Department of Tourism and Commerce Marketing** (www.dubaitourism.ae) heeft 15 kantoren in het buitenland, waaronder:
Gr-Brittannië en Ierland: 125 Pall Mall, London SW1Y 5EA; tel 020 7839 0580
VS en Canada: 25 West 45th Street, Suite 405, New York, NY 10036; tel 212 575 2262
Australië en Nieuw-Zeeland: 75 Miller Street, Sydney, NSW 2060; tel 61 2 9956 6620
Verre Oosten: 148 Electric Road, North Point, Hong Kong; tel 852 2827 5221
Frankrijk: 15 bis, rue de Marignan, 75008 Paris; tel 33 144 958 500 (ook voor de Benelux)
Duitsland: Bockenheimer Landstrasse 23, D60325 Frankfurt; tel 49 69 71 000 20
India: A/121 Mittal Court, Nariman Point, Mumbai 400 021; tel 22 400 27114
Italië: Via Pietrasanta 14, 20141 Milaan; tel 39 25740 3036
Japan: 21 Building 21 Aizumi-cho 23, Shinjuku-ku, Tokyo 160-0005; tel 81 35367 5450
Rusland: 10 Letnikovskaya Street, Moskou 115114; tel 7095 980 0717

TIJD

Dubai loopt vier uur voor op GMT. Men kent geen zomer- en wintertijd.

MUNTEENHEID EN GELD WISSELEN

Valuta De munteenheid van de Verenigde Arabische Emiraten is de dirham. Er gaan 100 fils in één dirham, maar fils worden zelden gebruikt.

Bankbiljetten zijn er in de waardes 5 Dh, 10 Dh, 20 Dh, 50 Dh, 100 Dh, 200 Dh, 500 Dh en 1000 Dh. Er worden ook munten van 1 Dh gebruikt.

Creditcards worden bijna overal geaccepteerd en geldautomaten geven geld aan buitenlandse kaarthouders. De meeste banken wisselen geld zonder problemen.

Reischeques kunnen worden ingewisseld bij wisselkantoren, sommige banken en hotels. Ga nauwkeurig de koersen na: hotels en de wisselkantoren op het vliegveld bieden minder royale koersen dan wisselkantoren als Thomas Cook. De Amerikaanse dollar en Britse pond zijn de meest gebruikelijke munteenheden van reischeques. Voor het inwisselen heeft u uw paspoort nodig.

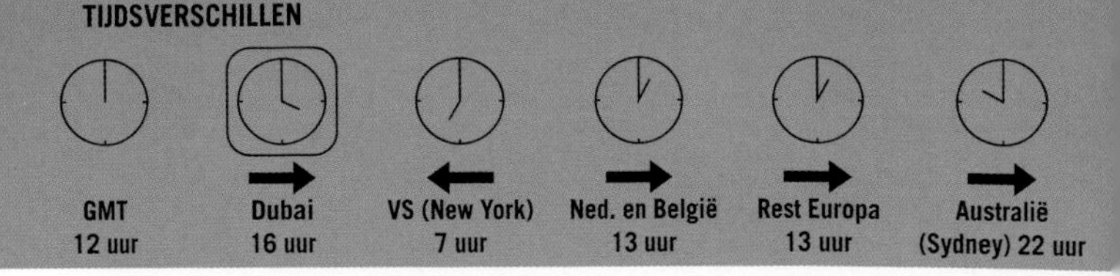

ALS U ER BENT

KLEDINGMATEN

Gr-Brittannië	Rest Europa	VS	
36	46	36	Pakken
38	48	38	Pakken
40	50	40	Pakken
42	52	42	Pakken
44	54	44	Pakken
46	56	46	Pakken
7	41	8	Schoenen
7.5	42	8.5	Schoenen
8.5	43	9.5	Schoenen
9.5	44	10.5	Schoenen
10.5	45	11.5	Schoenen
11	46	12	Schoenen
14.5	37	14.5	Overhemden
15	38	15	Overhemden
15.5	39/40	15.5	Overhemden
16	41	16	Overhemden
16.5	42	16.5	Overhemden
17	43	17	Overhemden
8	34	6	Jurken
10	36	8	Jurken
12	38	10	Jurken
14	40	12	Jurken
16	42	14	Jurken
18	44	16	Jurken
4.5	38	6	Schoenen
5	38	6.5	Schoenen
5.5	39	7	Schoenen
6	39	7.5	Schoenen
6.5	40	8	Schoenen
7	41	8.5	Schoenen

NATIONALE FEESTDAGEN

1 Jan	Nieuwjaarsdag
2 Dec	UAE National Day

Onderstaande data zijn alle nationale feestdagen, maar variëren volgens de islamitische maankalender:

- Eid Al Adha
- Islamitisch Nieuwjaar
- Geboortedag profeet Mohammed
- Troonsbestijging sjeik Zayed
- Lailat Al Mi'Raj
- Eid Al Fitr

Tijdens de ramadan, een vastenperiode van drie weken meestal in de herfst, zijn de openingstijden van bedrijven beperkt.

OPENINGSTIJDEN

Vrijdag is de heilige dag in de moslimwereld, dus het weekend in Dubai is over het algemeen donderdag en vrijdag, hoewel sommige bedrijven op vrijdag en zaterdag dicht zijn. De meeste winkels en andere diensten zijn ten minste een deel van vrijdag dicht. De openingstijden van winkelcentra zijn meestal zaterdag tot donderdag 10-22 uur, en op vrijdag 16-22 uur. Zelfstandige winkels 8-13, 16-22 uur (hoewel de tijden aanzienlijk variëren).
De openingstijden van banken zijn meestal zaterdag tot woensdag 8-13, donderdag 8-12 uur. Alle banken zijn gesloten op vrijdag. Postkantoren zijn geopend vrijdag tot woensdag 8-24; do 8-22 uur. Sommige apotheken zijn 24 uur per dag open.

ALARMNUMMER

POLITIE 999

BRANDWEER 997

AMBULANCE 998 of 999

PERSOONLIJKE VEILIGHEID

- Dubai is een van de veiligste steden ter wereld, maar neem dezelfde voorzorgsmaatregelen die u elders ook zou treffen: leg waardevolle spullen in de kluis van uw hotelkamer, en maak kopieën van belangrijke documenten en bewaar die apart.
- De grootste bedreiging voor uw veiligheid is te reizen via de weg: zie het deel over rijden ➤ 28.

Politieassistentie voor toeristen

☎ 800 4438 (gratis nummer)

TELEFOON

Internationale nummers
Toets 00 gevolgd door:

Gr-Brittannië:	**44**
VS /Canada:	**1**
België:	**32**
Australië:	**61**
Duitsland:	**49**
Nederland:	**31**

Openbare telefoons zijn wijdverbreid en hoewel sommige op munten werken, accepteren de meeste alleen kaarten. Deze kunt u kopen bij winkels en supermarkten.

Ga om uw mobiele telefoon te gebruiken in Dubai na of uw provider en toestel internationale roaming toelaten. Bereik in Dubai is over het algemeen zeer goed.
In veel hotels in Dubai zijn faciliteiten met snel (draadloos) internet beschikbaar.
U moet misschien betalen.

POST

De post doet er binnen de VAE meestal 2-3 dagen over, maar naar Europa, de VS en Australië kan het 10 dagen duren. Postzegels kunt u kopen op het postkantoor en bij sommige winkels. Hotels doen post op de bus voor gasten. Alle binnenkomende post gaat naar een postbus en moet worden opgehaald.

ELEKTRICITEIT

Het voltage in Dubai is 220/240V, 50 Hz. Amerikaanse apparaten kunnen een transformator nodig hebben, Engelse apparaten zullen goed werken. In de stopcontacten passen stekkers met drie vierkante pluggen.

FOOIEN

Veel restaurants voegen tegenwoordig bedieningsgeld toe aan uw rekening, dus ga dit na voordat u een fooi geeft.

Over het algemeen is het gebruikelijk om 10 procent toe te voegen als u tevreden bent met de service die u hebt gekregen. Er wordt echter niet altijd een fooi verwacht.

CONSULATEN EN AMBASSADES

Gr-Brittannië
☎ 309 4444

Duitsland
☎ 397 2333

Frankrijk
☎ 332 9040

Nederland
☎ 352 8700, 351 1313

VS
☎ 311 6000

GEZONDHEID

Verzekering Het is belangrijk om een volledige ziektekostenverzekering af te sluiten als u Dubai bezoekt. Het medische niveau in de VAE is hoog, maar de behandelingen zijn duur.

Arts De overheidsgezondheidszorg is over het algemeen zeer goed. Spoedeisende hulp wordt gratis verleend, maar als u naar een arts wilt voor een consult dat niet spoedeisend is, zult u 100 Dh moeten betalen. Veel hotels hebben bovendien ter plekke een eigen arts.

Tandarts Goede tandartsen zijn ook wijdverbreid. Vraag uw hotel om u de dichtstbijzijnde te wijzen.

Zonneadvies De belangrijkste preventieve handeling is een heleboel water te drinken (dagelijks enkele liters) om het risico op uitdroging in de hitte te verkleinen. Uw hoofd bedekken met een zonnehoed is ook een goede manier om het risico op een zonnesteek zo klein mogelijk te houden.

Medicijnen Er zijn apotheken in heel Dubai, die veel medicijnen verstrekken zonder recept. Er zijn geen specifieke ziekten waartegen u zich moet wapenen. Buiten de steden is de malariamug aanwezig, maar weinig mensen slikken preventieve middelen tegen malaria.

Veilig water Kraanwater is veilig om te drinken. Flessenwater is bijna overal verkrijgbaar. Lokale merken zijn voordeliger.

LOKALE GEBRUIKEN

Dubai is een moslimland, wat betekent dat alcohol en varkensvlees verboden zijn voor moslims en de meeste moslimvrouwen dragen een hoofddoek. Niet-moslims staat het echter vrij om alcohol te nuttigen in de hotels van de stad en sommige restaurants serveren duidelijk aangegeven gerechten met varkensvlees. Vrouwen staan niet onder druk om hun hoofd te bedekken, tenzij ze de Jumeirah Mosque bezoeken, maar van zowel mannen als vrouwen wordt verwacht dat zij zich bedekken als zij het strand verlaten.
Er zijn verscheidene christelijke kerken in Dubai en één hindoetempel.

REIZEN MET EEN HANDICAP

De faciliteiten voor bezoekers met een handicap worden steeds beter. Er is een balie in de vertrekhal van het vliegveld waar vervoer rond het vliegveld kan worden geregeld. Sommige nieuwe hotels en pas gebouwde faciliteiten, zoals Zabeel Park, bieden uitstekende toegankelijkheid voor mensen met een handicap, waaronder rolstoelhellingen en parkeerplaatsen dicht bij de ingang. Neem voor meer informatie contact op met het Dubai Centre for Special Needs (tel: 344 0966, admission@dcs-needs.ae).

KINDEREN

Kinderen staan centraal in het Emirati-gezin en zij zijn vrijwel overal welkom. Slechts zo nu en dan zijn er leeftijdsgrenzen ingesteld.

TOILETTEN

De beste faciliteiten zijn die in hotels, bars en restaurants, maar Dubai heeft weinig openbare toiletten.

DOUANE

U mag niet meer dan 2000 sigaretten, 400 sigaren, 2 kg tabak, 2 liter wijn of sterkedrank importeren.

NUTTIGE WOORDEN EN UITDRUKKINGEN

De officiële taal in Dubai is Arabisch, maar er wordt veel Engels gesproken. De mensen zijn altijd graag bereid, en trots, om hun vreemde talen te oefenen, maar zelfs als u maar een paar woorden in het Arabisch spreekt, zult u doorgaans een enthousiaste reactie krijgen. Hieronder staat een fonetische transcriptie van het Arabische schrift. Woorden of letters tussen haakjes geven de andere vorm aan die vereist is als u een vrouw aanspreekt, of als u zelf vrouw bent.

BEGROETINGEN EN VEELGEBRUIKTE WOORDEN

Ja **Naam**
Nee **Laa**
Alstublieft **Min fadlak (min fadlik)**
Dank u **Shukran**
Graag gedaan **Afwan**
Hallo *tegen moslims* **As-salamu alaykum**
Antwoord **Wa-alaykum as-salam**
Hallo *tegen kopten* **As-salamu lakum**
Welkom **Ahlan wa-sahlan**
Antwoord **Ahlan bika (ahlan biki)**
Tot ziens **Ma-asalama**
Goedemorgen **Sabaah al-khayr**
Antwoord **Sabaah an-nuur**
Goedenavond **Masaa al-khayr**
Antwoord **Masaa an-nuur**
Hoe gaat het? **Kayfa haalak (kayfa haalik)**
Goed, bedankt **Bikhayr, shukran**
Zo God het wil **In shaa al-laah**
Geen probleem **Laa toojad mushkilah**
Het spijt me **Aasif (aasifa)**
Pardon **An idhnak (an idhnik)**
Mijn naam is... **Ismii ...**
Spreekt u Engels? **Hal tatakallam al-inglizyah? (hal tatakallamin al-inglizyah?)**
Ik begrijp het niet **Laa afhaml**
Ik begrijp het **Afhaml**
Ik spreek geen Arabisch **Arabiclaa atakallam al-arabiyyah**

IN GEVAL VAN NOOD

Help! **Tarri!**
Dief! **An-najdah!**
Politie **Liss!**
Brand **A-shurttah**
Ziekenhuis **Mustashfaa**
Ga weg **Ab:eed (ab:eedy)**
Laat me met rust! **Atrukni wahdi! (atrukeeni wahdi!)**
Waar is het toilet? **Ayna dawrat al-meeyah?**
Ik ben misselijk **Ana mareedd (ana mareeddah)**
We hebben een arts nodig **Noureed ttabeeb**

WINKELEN

Winkelen **A-tassaouuq**
Winkel **Dukkan**
Ik wil graag... **Oreed...**
Ik kijk alleen even **Atafarraj faqatt**
Hoeveel...? **Bi-kam ...?**
Dat is mijn laatste bod **Hadha akher kalam**
Dat is te duur **Hadha ghaali jedanl**
Ik neem deze **Sa-aakhuz hadha**
Goed / slecht **Jayed/ Sayi**
Goedkoop **Rakheess**
Groot / klein **Kabeer/ Sagheer**
Open / dicht **Maftooh/ Moughlaq**

GETALLEN

Numbers **Al-arqam**
0 **Sifr**
1 **Wahid**
2 **Ithnain**
3 **Thalathah**
4 **Arbaah**
5 **Khamsah**
6 **Sittah**
7 **Sabaah**
8 **Thamanyah**
9 **Tisaah**
10 **Asharah**
11 **Ihda-ashar**
12 **Ithna-ashar**
13 **Thalathata-ashar**
14 **Arbaata-ashar**
15 **Khamsata-ashar**
16 **Sittata-ashar**
17 **Sabaata-ashar**
18 **Thamaniata-ashar**
19 **Tisaata-ashar**
20 **Ishriin**
21 **Wahid wa ishriin**
30 **Thalathiin**
40 **Arbaaiin**
50 **Khamsiin**
60 **Sittiin**
100 **Miiyah**
1000 **Alf**

DAGEN

Vandaag **Al-yawm**
Morgen **Al-ghad**
Gisteren **Ams**
Vanavond **Al-lailah**
Ochtend **As-subh**
Avond **Al-masaa**
Later **Fema baad**
Maandag **Yawm alithnayn**
Dinsdag **Yawm althulaathaa**
Woensdag **Yawm alarbiaa**
Donderdag **Yawm alkhamiis**
Vrijdag **Yawm aljumaah**
Zaterdag **Yawm alsabt**
Zondag **Yawm al-ahad**

DE WEG VRAGEN EN REIZEN

Ik ben verdwaald **Ana taaih (ana taaiha)**
Waar is...? **Ayna ...?**
Vliegveld **Mattar**
Boot **Markib**
Busstation **Mahattat al-baass**
Kerk **Kanisah**
Ambassade **Sifarah**
Markt **Soq**
Moskee **Masjed**
Museum **MatHaf**
Plein **Maydaan**
Straat **Shaari**
Taxistandplaats **Mawqif at-taxi**
Treinstation **Mahatat al-qitar**
Is het dichtbij / ver? **Hal howa qareeb/ baeed?**
Hoeveel kilometer? **Kam kilometre?**
Hier / daar **Hunna/ hunnak**
Links / rechts **Yassar/ yameen**
Rechtdoor **Ala tuul**
Wanneer vertrekt / komt de bus? **Mataa ughader/ uassal al-qittar?**
Ik wil een taxi **Oreed taxi**
Stop hier **Qeff hunna**
*Retour*ticket **Tadhkarah zihaab wa rigooa**
Paspoort **Jawaz as-safar**
Bus **Baass**
Auto **Sayarah**
Trein **Qittar**

RESTAURANT

Restaurant **Mataaml**
Ik wil graag...eten **Oreed an aakul**
Wat is dit? **Ma Hadha?**
Alcohol / bier **beerah**
Brood **Khoubz**
Koffie / thee **Qahwah/ Shaay**
Vlees **Lahm**
Mineraalwater **Meeyah maadaniah**
Melk **Haleeb**
Zout en peper **Milh wa filfil**
Wijn rood / wit **Nabeez ahmar/ abyadd**
Ontbijt **Ifttar**
Lunch **Ghadaa**
Diner **Aashaa**
Tafel **Maaida**
Ober **Nadil**
Menu **Qaaimat at-ttaam**
Rekening **fatourah**
Eet smakelijk **Bil hanaa wal-shifaa**

GELD

Geld **Niqood**
Waar is de bank? **Ayna al-bank?**
Dirham **Dirham**
Kleingeld **Fakkah**
Postkantoor **Maktab al-bareed**
Mail **Bareed**
Cheque **Sheak**
Reischeque **Sheak siyahi**
Creditcard **Bittakat iiteman**

WOORDENLIJST BIJ DE TEKST

Abaya zwart allesbedekkend bovenkleed voor vrouwen
Abra watertaxi
Balaleet noedels gemaakt van ei, ui, kaneel, suiker en olie
Barasti schuilplaats van palmbladen
Barjeel windtorens voor ventilatie
Bedouin nomadische stam
Bin zoon van
Burj toren
Corniche kustweg
Dishadasha jurkachtig hemd voor mannen
Dhow vrachtschip
Emirate een van de zeven door families bestuurde staten, gezamenlijk bekend als de Verenigde Arabische Emiraten
Fareed stoofpotje van vlees en groenten, geserveerd op een laag hele dunne sneden brood (regarg)
Haram verboden (volgens de islam)
Harees een eenvoudig gerecht van blokjes vlees, bulgur en water
Hijab sjaal voor vrouwen
Iwan gewelfde ruimte rond de binnenhof van een moskee
Kuswari kruidige mix van peulen, pasta en rijst
Lukaimat deegballetjes
Majlis ontmoetingsplaats
Maristan (islamitisch) ziekenhuis
Mezze kleine bordjes eten, voorafjes
Midan plein
Mina terminal veerdienst
Minaret toren op een moskee
Mohalla plat brood gezoet met honing en dadelsiroop
Muezzin man die moslims tot gebed roept
Ramadan maandlange religieuze vastenperiode in de herfst
Sikka steeg
Sharia straat
Shawarma vlees geroosterd aan een spit
Sheesha waterpijp, d.w.z. pijp voor het roken van (gearomatiseerde) tabak die de rook over water trekt om die te koelen
Souk markt
Wadi opgedroogde rivierbedding

Kaarten

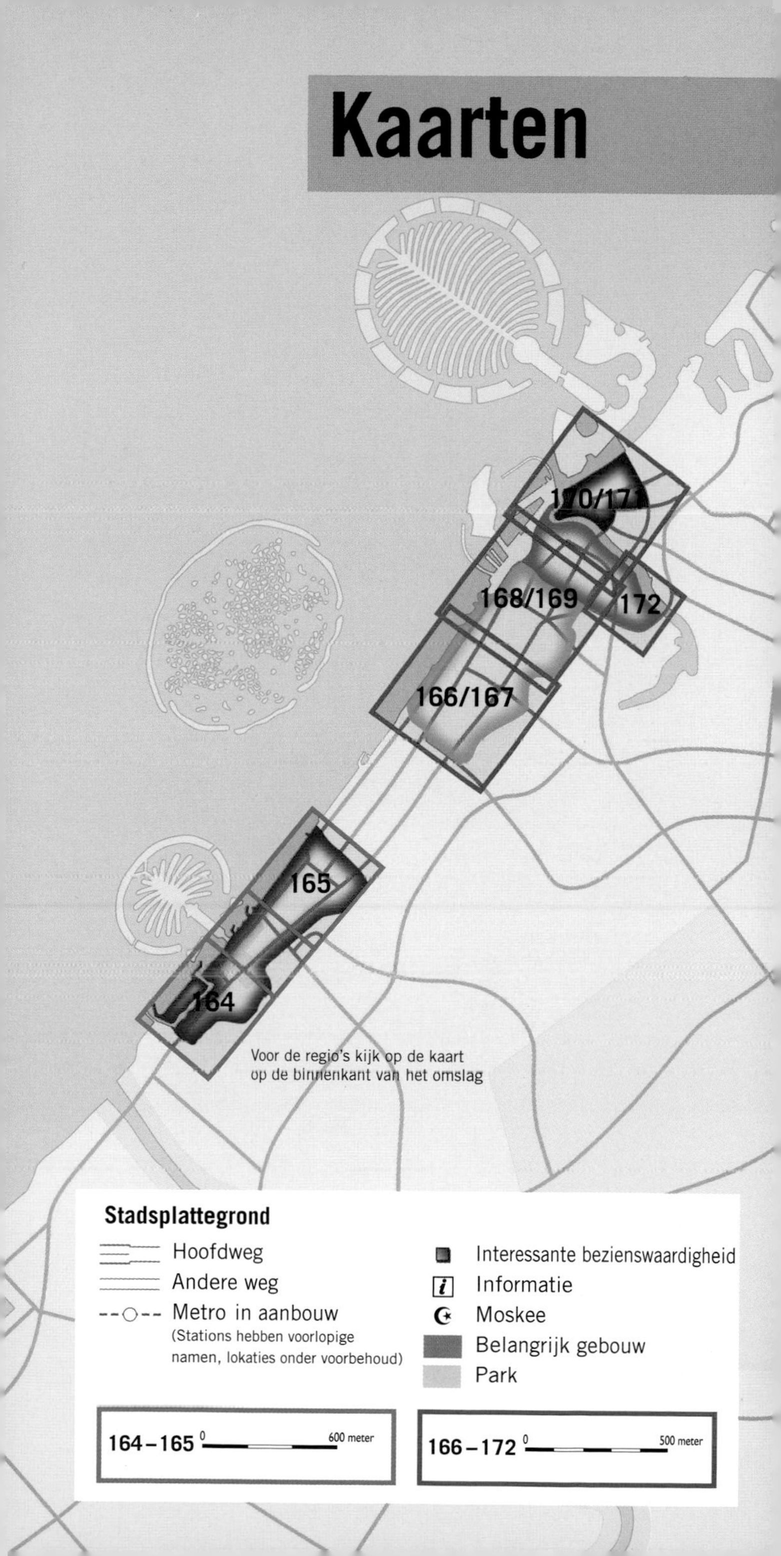
170/171
168/169
172
166/167
165
164
Voor de regio's kijk op de kaart
op de binnenkant van het omslag
Stadsplattegrond
Hoofdweg
Andere weg
Metro in aanbouw
(Stations hebben voorlopige
namen, lokaties onder voorbehoud)
Interessante bezienswaardigheid
Informatie
Moskee
Belangrijk gebouw
Park
164–165
0
600 meter
166–172
0
500 meter

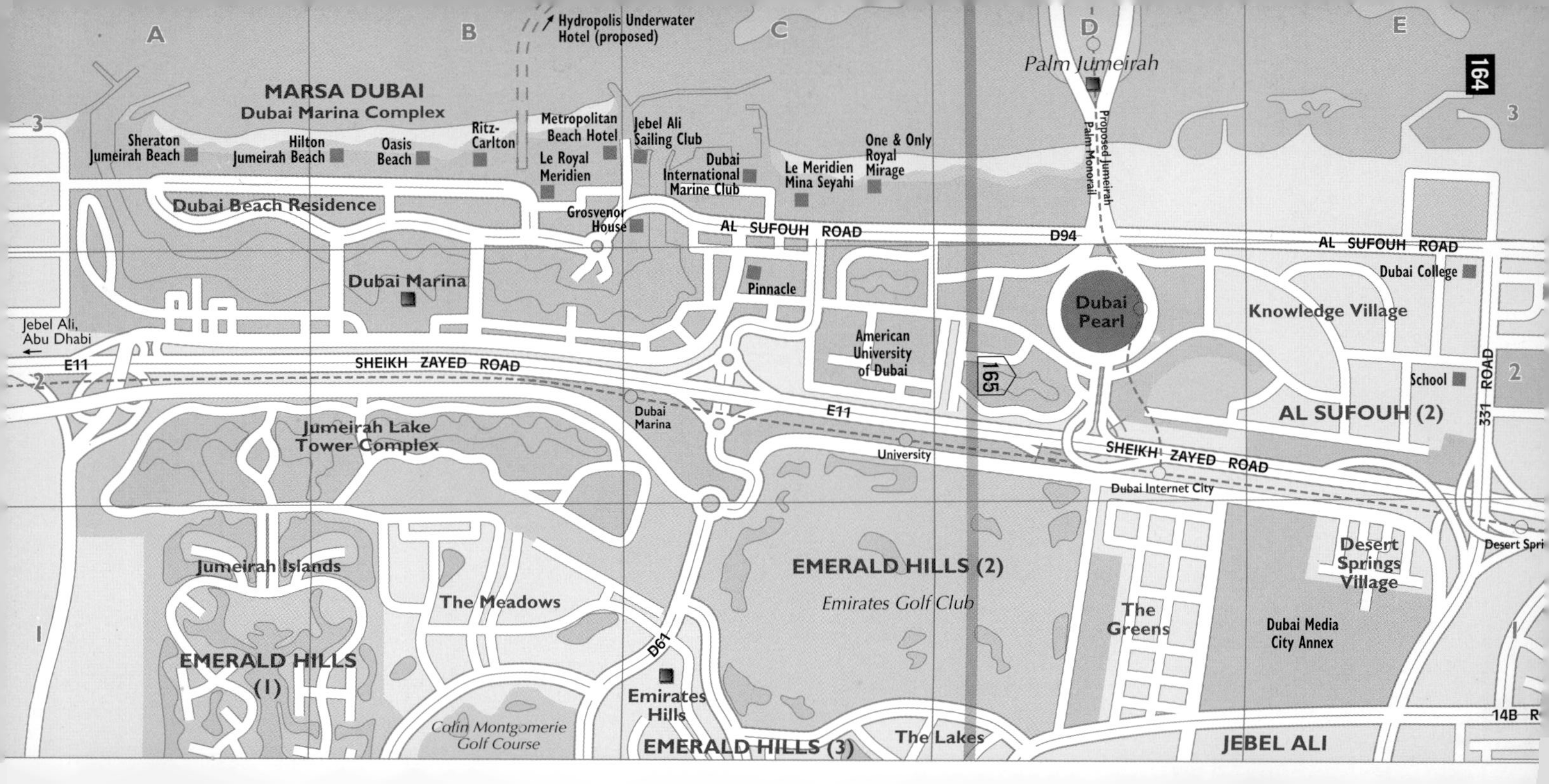

A
B
C
D
E
Hydropolis Underwater Hotel (proposed)
Palm Jumeirah
Proposed Jumeirah Palm Monorail
MARSA DUBAI
Dubai Marina Complex
Sheraton Jumeirah Beach
Hilton Jumeirah Beach
Oasis Beach
Ritz-Carlton
Metropolitan Beach Hotel
Le Royal Meridien
Jebel Ali Sailing Club
Dubai International Marine Club
Le Meridien Mina Seyahi
One & Only Royal Mirage
Grosvenor House
Dubai Beach Residence
AL SUFOUH ROAD
D94
Dubai College
Dubai Marina
Pinnacle
Dubai Pearl
Knowledge Village
American University of Dubai
Jebel Ali, Abu Dhabi
E11
SHEIKH ZAYED ROAD
165
School
331 ROAD
AL SUFOUH (2)
Dubai Marina
Jumeirah Lake Tower Complex
University
Dubai Internet City
Desert Spri
Jumeirah Islands
EMERALD HILLS (2)
Emirates Golf Club
Desert Springs Village
The Meadows
The Greens
Dubai Media City Annex
D61
EMERALD HILLS (1)
Emirates Hills
Colin Montgomerie Golf Course
EMERALD HILLS (3)
The Lakes
JEBEL ALI
14B R

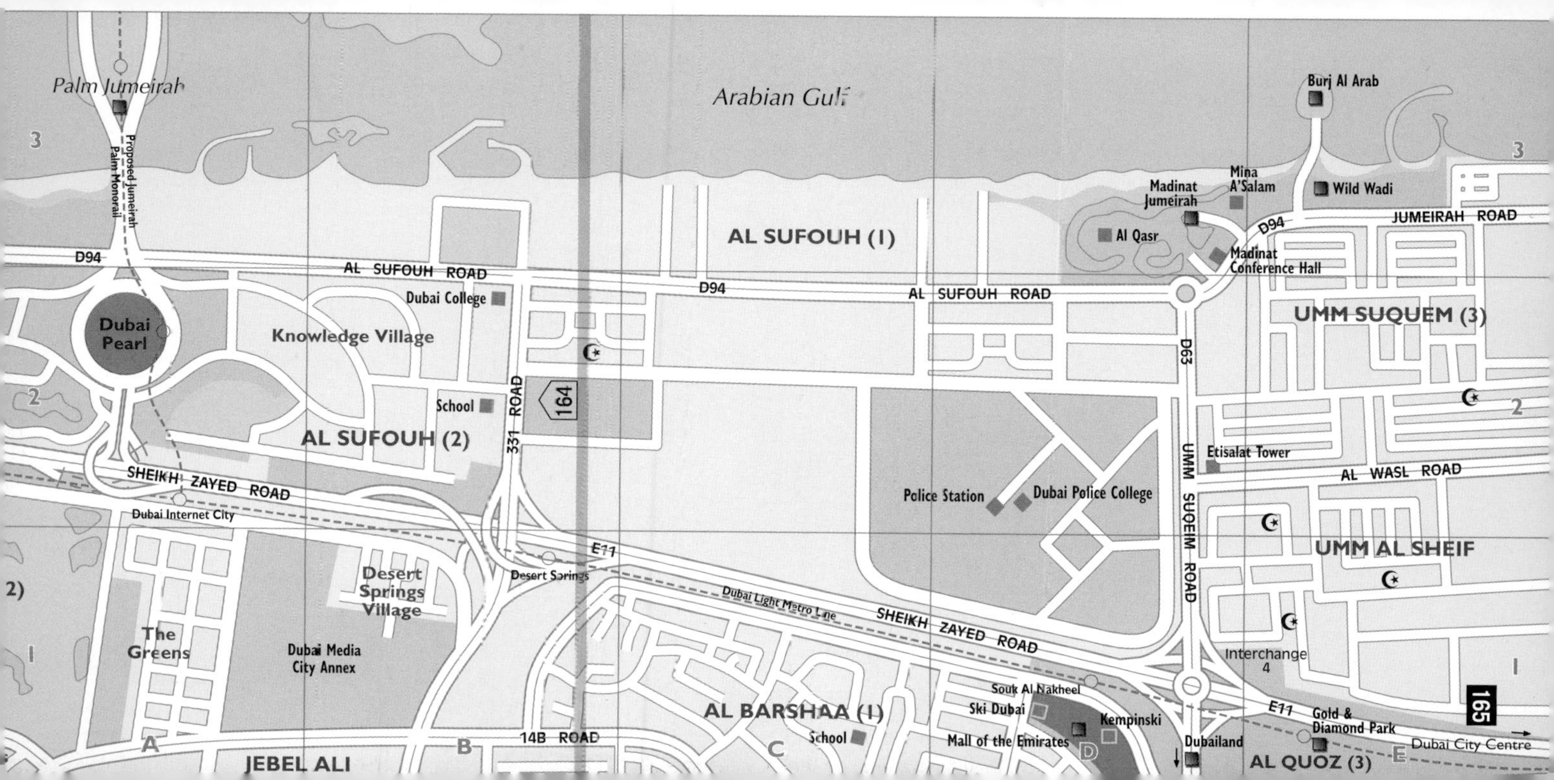

Arabian Gulf
Palm Jumeirah
Proposed Jumeirah Palm Monorail
Burj Al Arab
Wild Wadi
Mina A'Salam
Madinat Jumeirah
Al Qasr
Madinat Conference Hall
JUMEIRAH ROAD
D94
AL SUFOUH (1)
AL SUFOUH ROAD
UMM SUQUEM (3)
D63
Dubai Pearl
Knowledge Village
Dubai College
School
331 ROAD
164
AL SUFOUH (2)
Etisalat Tower
AL WASL ROAD
UMM SUQEIM ROAD
Police Station
Dubai Police College
UMM AL SHEIF
SHEIKH ZAYED ROAD
Dubai Internet City
E11
Desert Springs
Dubai Light Metro Line
Desert Springs Village
The Greens
Dubai Media City Annex
Interchange 4
Souk Al Nakheel
Ski Dubai
Kempinski
Mall of the Emirates
AL BARSHAA (1)
School
14B ROAD
JEBEL ALI
Dubailand
Gold & Diamond Park
AL QUOZ (3)
Dubai City Centre
A
B
C
D
E
1
2
3
165

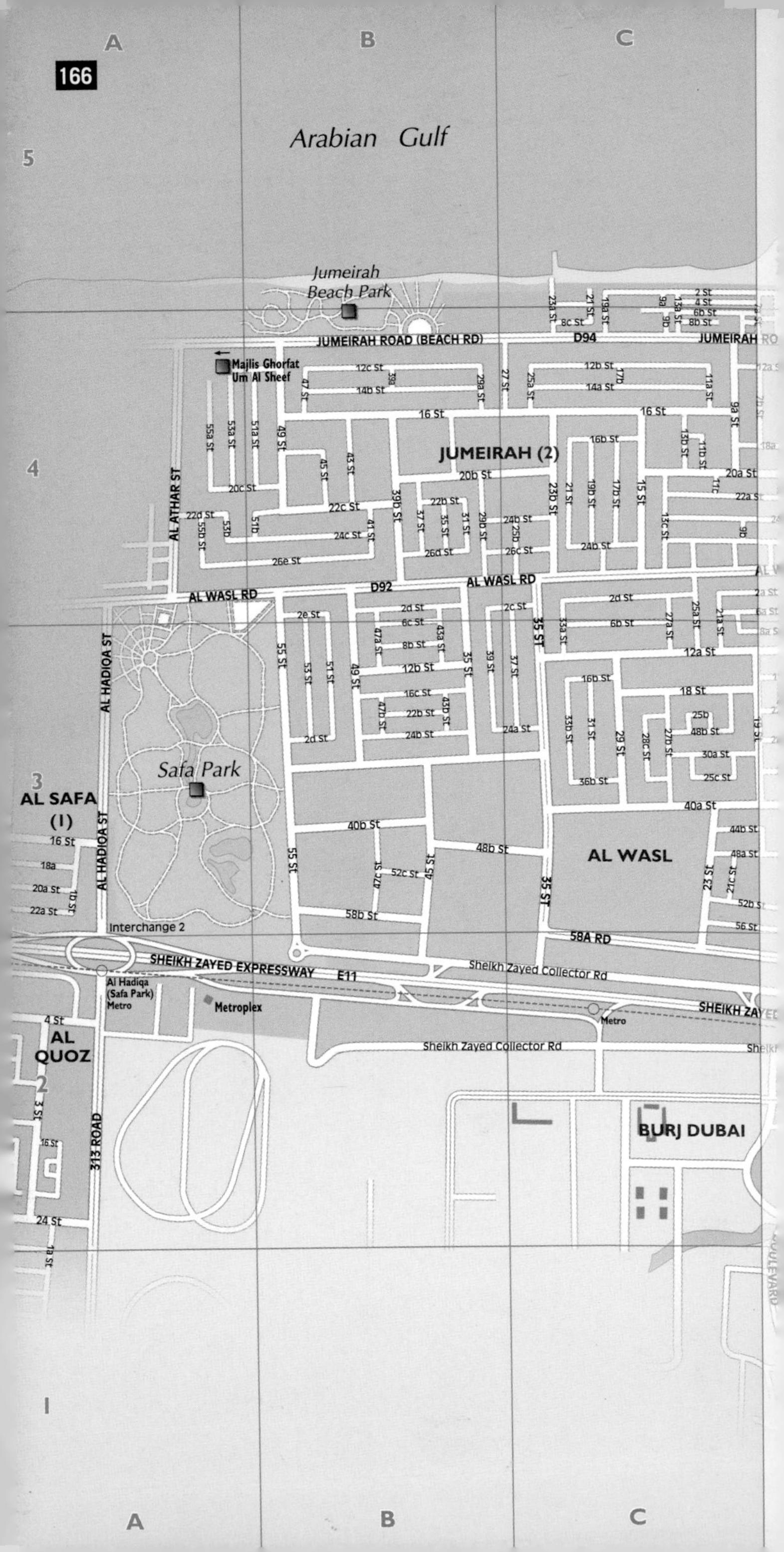

A
B
C
5
4
3
2
1
Arabian Gulf
Jumeirah Beach Park
JUMEIRAH ROAD (BEACH RD)
D94
Majlis Ghorfat Um Al Sheef
JUMEIRAH (2)
AL ATHAR ST
AL WASL RD
D92
Safa Park
AL SAFA (1)
AL HADIQA ST
AL WASL
35 ST
58A RD
Interchange 2
SHEIKH ZAYED EXPRESSWAY
E11
Sheikh Zayed Collector Rd
Al Hadiqa (Safa Park) Metro
Metroplex
Metro
AL QUOZ
313 ROAD
BURJ DUBAI

D
E
F
Harbour
Jumeirah Open Beach
JUMEIRAH ROAD (BEACH RD)
D94
Dubai Zoo
JUMEIRAH (I)
AL UROUBA ST 311
AL WASL RD
D92
AL BADA'A
AL SAFA ST
D71
D90
AL SATWA RD
Al Amal Hospital
Dubai Central Prison
AL SATWA
Dubai Police Training Centre
50A ROAD
308 ROAD
Shangri-La
TRADE CENTRE 1
Main Strip - Sheikh Zayed Road
Financial City Metro
Sheikh Zayed Collector Rd
Defence Roundabout (Interchange 1)
SHEIKH ZAYED EXPRESSWAY
E11
Trade Centre 2
Burj Dubai Metro
Dusit Dubai
312 ROAD
E44
THE BOULEVARD
Burj Dubai
Proposed Monorail Mass Transit Link
Burj Dubai Park
The Old Town
Dubai Mall
Nad Al Sheba & Godolphin Gallery,
Camel Racing,
Falcon & Heritage Sports Centre
168

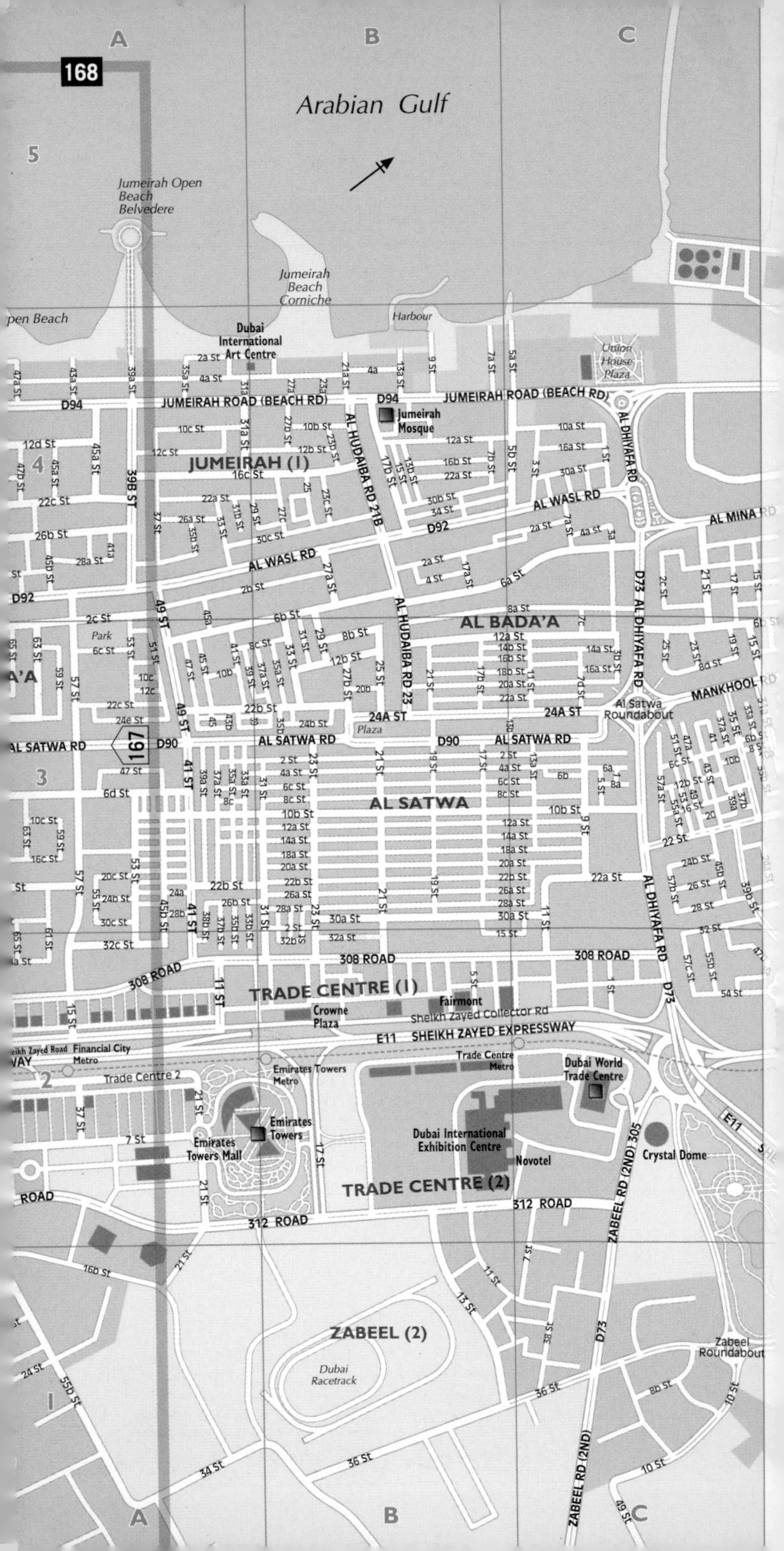

A
B
C
168
Arabian Gulf
5
Jumeirah Open Beach Belvedere
Jumeirah Beach Corniche
Harbour
Open Beach
Dubai International Art Centre
Union House Plaza
JUMEIRAH ROAD (BEACH RD)
D94
Jumeirah Mosque
JUMEIRAH (1)
AL HUDAIBA RD 21B
AL DHIYAFA RD
AL WASL RD
D92
AL MINA RD
4
39B ST
49 ST
AL BADA'A
Park
AL HUDAIBA RD 23
D73 AL DHIYAFA RD
MANKHOOL RD
24A ST
Plaza
Al Satwa Roundabout
AL SATWA RD
167
D90
3
41 ST
AL SATWA
308 ROAD
11 ST
TRADE CENTRE (1)
Crowne Plaza
Fairmont
Sheikh Zayed Collector Rd
E11 SHEIKH ZAYED EXPRESSWAY
Sheikh Zayed Road
Financial City Metro
Trade Centre 2
2
Emirates Towers Metro
Trade Centre Metro
Dubai World Trade Centre
Emirates Towers
Emirates Towers Mall
Dubai International Exhibition Centre
Novotel
Crystal Dome
TRADE CENTRE (2)
312 ROAD
ZABEEL RD (2ND) 305
ZABEEL (2)
Dubai Racetrack
Zabeel Roundabout
D73
1
ZABEEL RD (2ND)

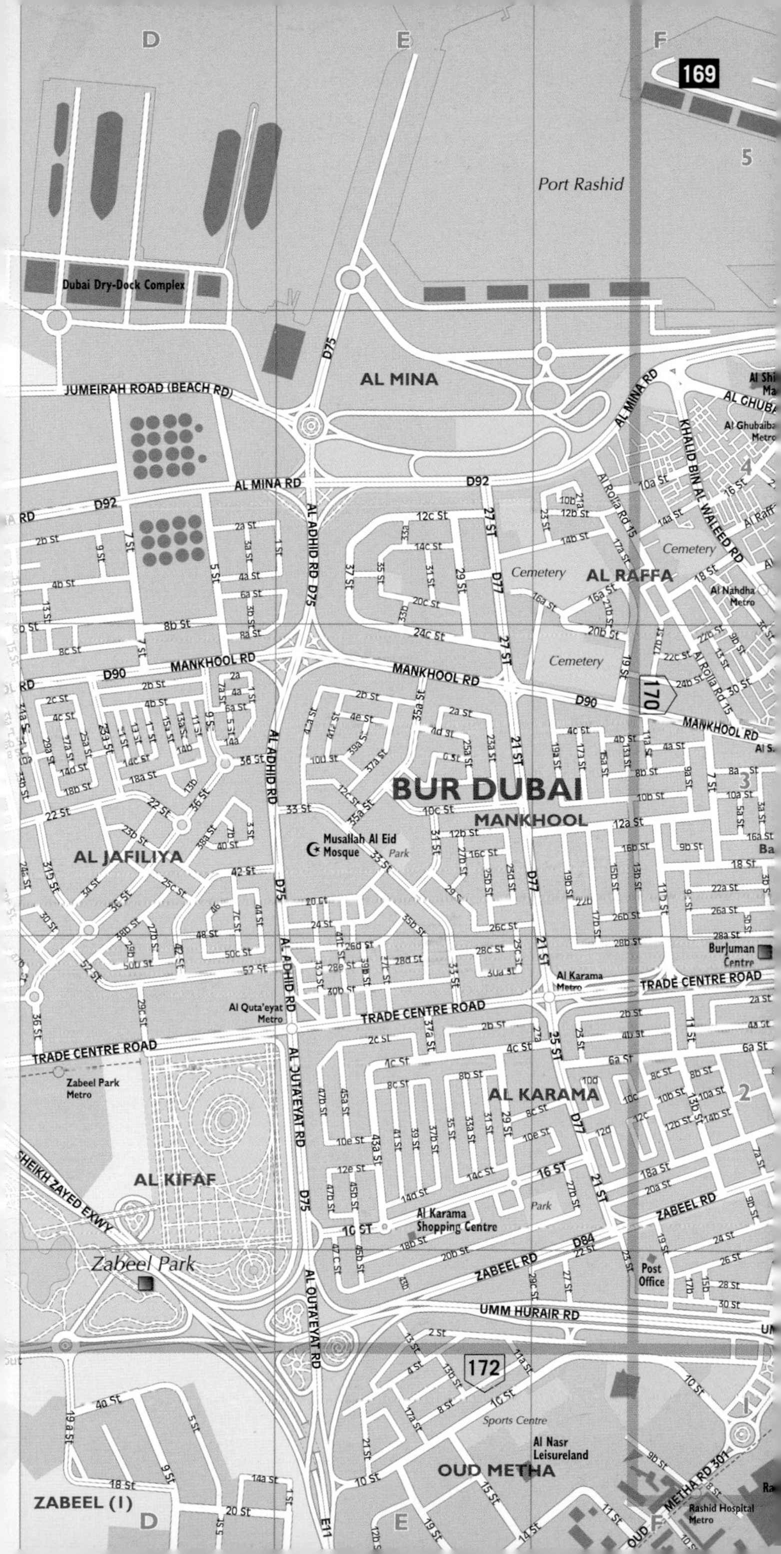

D
E
F
169
5
Port Rashid
Dubai Dry-Dock Complex
D75
AL MINA
JUMEIRAH ROAD (BEACH RD)
AL MINA RD
D92
AL ADHID RD D75
27 ST
D77
Cemetery
AL RAFFA
KHALID BIN AL WALEED RD
Al Ghubaiba Metro
Al Nahdha Metro
4
MANKHOOL RD
D90
170
BUR DUBAI
MANKHOOL
AL JAFILIYA
Musallah Al Eid Mosque
Park
3
Burjuman Centre
Al Karama Metro
TRADE CENTRE ROAD
Al Quta'eyat Metro
TRADE CENTRE ROAD
Zabeel Park Metro
AL KARAMA
2
AL QUTA'EYAT RD
AL KIFAF
SHEIKH ZAYED EXWY
Al Karama Shopping Centre
ZABEEL RD
D84
Zabeel Park
Post Office
UMM HURAIR RD
172
Sports Centre
Al Nasr Leisureland
OUD METHA
OUD METHA RD 301
Rashid Hospital Metro
ZABEEL (I)
1
E11

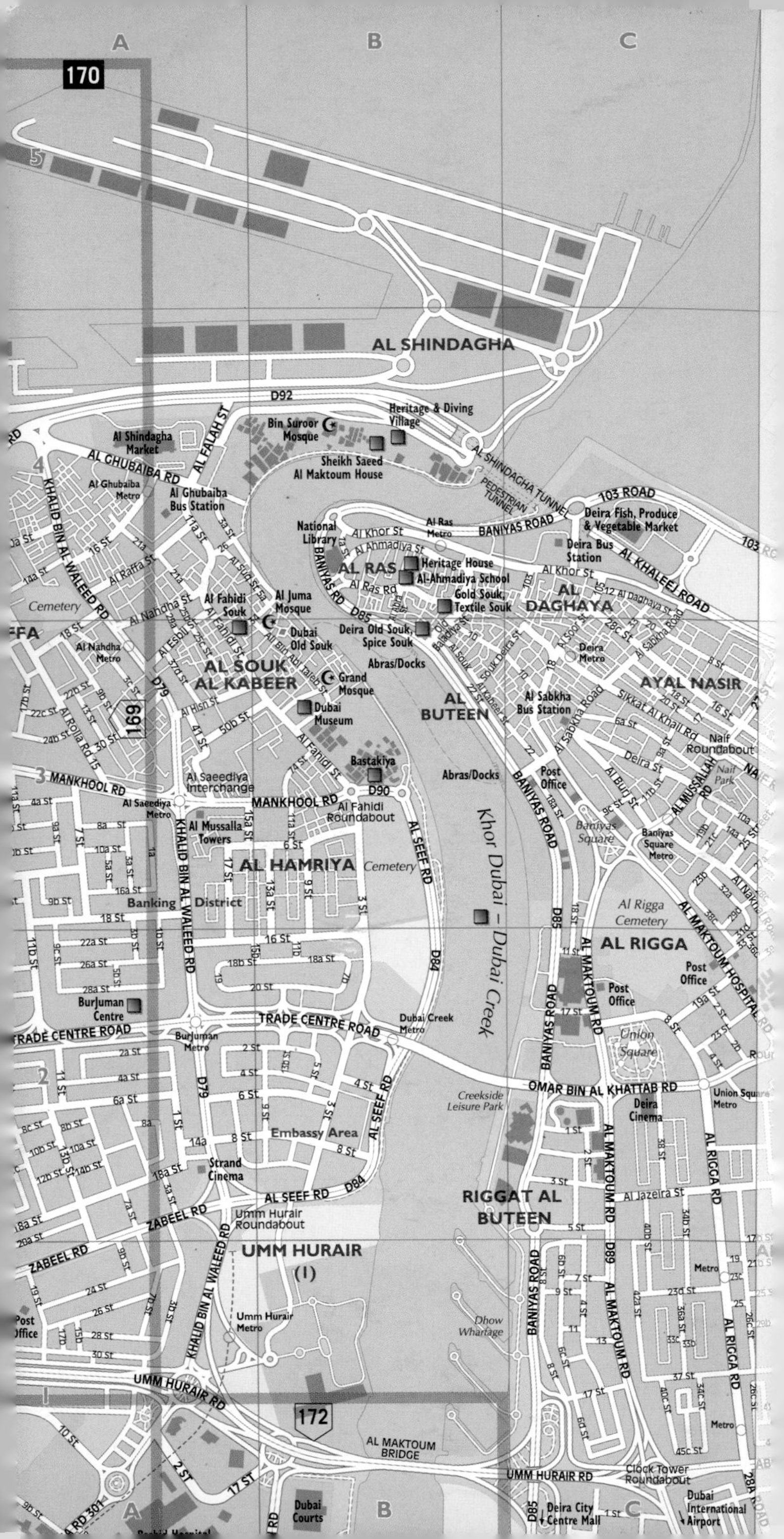
A
B
C
5
4
3
2
1
AL SHINDAGHA
D92
Heritage & Diving Village
Bin Suroor Mosque
Sheikh Saeed Al Maktoum House
Al Shindagha Market
AL FALAH ST
AL GHUBAIBA RD
Al Ghubaiba Metro
Al Ghubaiba Bus Station
KHALID BIN AL WALEED RD
AL SHINDAGHA TUNNEL
PEDESTRIAN TUNNEL
103 ROAD
Deira Fish, Produce & Vegetable Market
BANIYAS ROAD
Al Ras Metro
National Library
Al Khor St
Al Ahmadiya St
Deira Bus Station
AL KHALEEJ ROAD
AL RAS
Heritage House
Al-Ahmadiya School
Gold Souk, Textile Souk
AL DAGHAYA
Al Ras Rd
BANIYAS RD
D85
Al Juma Mosque
Al Fahidi Souk
Cemetery
Al Nahdha St
Al Nahdha Metro
Dubai Old Souk
Deira Old Souk, Spice Souk
Abras/Docks
Deira Metro
AYAL NASIR
AL SOUK AL KABEER
Grand Mosque
AL BUTEEN
Al Sabkha Bus Station
Al Sabkha Road
Sikkat Al Khail Rd
Naif Roundabout
Dubai Museum
Al Fahidi St
Al Hisn St
D79
169
Al Rolla Rd
MANKHOOL RD
Al Saeediya Interchange
Al Saeediya Metro
Bastakiya
D90
Abras/Docks
Post Office
Deira St
Naif Park
AL MUSSALLAH RD
Al Fahidi Roundabout
Al Mussalla Towers
AL SEEF RD
Khor Dubai – Dubai Creek
BANIYAS ROAD
Baniyas Square
Baniyas Square Metro
AL HAMRIYA
Cemetery
Banking District
Al Rigga Cemetery
AL RIGGA
AL MAKTOUM HOSPITAL RD
D84
AL MAKTOUM RD
Post Office
Post Office
BurJuman Centre
TRADE CENTRE ROAD
BurJuman Metro
TRADE CENTRE ROAD
Dubai Creek Metro
Union Square
OMAR BIN AL KHATTAB RD
Union Square Metro
Creekside Leisure Park
Deira Cinema
AL RIGGA RD
Embassy Area
AL SEEF RD
Strand Cinema
AL SEEF RD
D84
RIGGAT AL BUTEEN
Al Jazeira St
ZABEEL RD
Umm Hurair Roundabout
UMM HURAIR (I)
ZABEEL RD
Umm Hurair Metro
Dhow Wharfage
D89
Metro
Post Office
UMM HURAIR RD
172
AL MAKTOUM BRIDGE
UMM HURAIR RD
Clock Tower Roundabout
Dubai Courts
Deira City Centre Mall
Dubai International Airport
RD 301
28A ROAD

D
E
F
5
4
3
2
Palm Deira
CORNICHE DIERA
Fruit & Vegetable Market
Al Mamzar Beach Park
Hyatt Regency Hotel
Gulf Park
AL KHALEEJ ROAD
AL MURAR
NAIF
NAIF ROAD
Al Baraha Hospital
Kuwait Hospital
New Dubai Hospital
Plaza
Burj Nahar Roundabout
AL BARAHA
AL RASHEED ROAD
OMAR BIN AL KHATTAB RD
Fish Roundabout
DEIRA
ABU HAIL
Al Hamriya Public Gardens
AL MUTEENA
AL MATEENA ST
ABU BAKER AL SIDDIQUE RD
Salahuddin Metro
Al Jazeira St
Reef Mall
AL MURAQQABAT
SALAHUDDIN RD
HOR AL ANZ
Al Hamriya Roundabout
Hamarain Centre Metro
Dubai Cinema
Al Muraqqabat Road
ABU HAIL ROAD
AL KHABAISI
Hor Al Anz Metro

172
OUD METHA
UMM HURAIR (2)
Sports Centre
Al Nasr Leisureland
Rashid Hospital
Rashid Hospital Metro
Dubai Courts
AL MAKTOUM BRIDGE
Oud Metha Metro
Park
Dubai Creekside Park
Wafi City Shopping Mall (Wafi Cineplex)
Health Care City Metro
Children's City
Khor Dubai – Dubai Creek
Dubai Creek Marina
Dubai Creek Golf Course
Grand Cineplex
Grand Hyatt
Wonderland
Al Boom Tourist Village
AL QUTA'EYAT EXPRESSWAY
AL GARHOUD BRIDGE
Jet-Ski Area
Dubai International Airport
Al Jaddaf Metro
Ras Al Khor Wildlife Sanctuary
OUD METHA RD
AL QUTA'EYAT EXPRESSWAY
RIYADH RD
OUD METHA RD 301

Fotoverantwoording

Afkortingen voor de fotoverantwoording zijn als volgt: (b) boven; (o) onder; (l) links; (r) rechts; (AA) AA World Travel Library.

De Automobile Association wil graag de onderstaande fotografen, bedrijven en bibliotheken bedanken voor hun hulp bij het maken van dit boek.

Alle afbeeldingen op de voor- en achteromslag en op de rug: AA World Travel Library/Clive Sawyer.

2b Jumeirah; 2mb AA/C Sawyer; 2mo AA/C Sawyer; 2o AA/C Sawyer; 3b Jumeirah; 3mb Jumeirah; 3mo AA/C Sawyer; 3o AA/C Sawyer; 5 Jumeirah; 6/7 AA/C Sawyer; 6 Rex Features Ltd; 8b AA/C Sawyer; 8o Rex Features Ltd; 9 Tim Graham/Alamy; 10/11 www.godolphin.com; 10b Dubai World Cup; 11br AA/C Sawyer; 11bmr www.godolphin.com; 11mr www.godolphin.com; 12/13 AA/C Sawyer; 12b AA/C Sawyer; 12o AA/C Sawyer; 13r Foto ter beschikking gesteld door de regering van Dubai, Department of Tourism and Commerce Marketing; 14bl AA/C Sawyer; 14/15b Jumeirah; 14/15o AA/C Sawyer; 15o AA/C Sawyer; 17b AA/C Sawyer; 17ml AA/C Sawyer; 17ml AA/C Sawyer; 17mol AA/C Sawyer; 17ol AA/C Sawyer; 17or AA/C Sawyer; 18/19 Dubai Golf; 18ol AA/C Sawyer; 18m AA/C Sawyer; 19b Foto ter beschikking gesteld door de regering van Dubai, Department of Tourism and Commerce Marketing; 20b ter beschikking gesteld door Dubai Golf; 20mb Foto ter beschikking gesteld door de regering van Dubai, Department of Tourism and Commerce Marketing; 20m Rex Features Ltd; 20mo Dubai World Cup; 20o AA/C Sawyer; 21b Yadid Levy/Alamy; 21mb Corbis; 21mb Foto's ter beschikking gesteld door de regering van Dubai, Department of Tourism and Commerce Marketing; 21o Dubai World Cup; 22/23ag AA/C Sawyer; 22l AA/C Sawyer; 22m AA/C Sawyer; 22r AA/C Sawyer; 23l AA/C Sawyer; 23m AA/C Sawyer; 23r AA/C Sawyer; 24b, 24r Foto's ter beschikking gesteld door de regering van Dubai, Department of Tourism and Commerce Marketing; 25 AA/C Sawyer; 33 AA/C Sawyer; 34 AA/C Sawyer; 35b AA/C Sawyer; 35mr AA/C Sawyer; 35o AA/C Sawyer; 36l Dubai Golf; 36o AA/C Sawyer; 37b AA/C Sawyer; 37o AA/C Sawyer; 38 Nakheel; 39m AA/C Sawyer; 39br AA/C Sawyer; 39o AA/C Sawyer; 40m AA/C Sawyer; 40o AA/C Sawyer; 41b AA/C Sawyer; 41o AA/C Sawyer; 42b AA/C Sawyer; 42o AA/C Sawyer; 43 AA/C Sawyer; 44b AA/C Sawyer; 44o AA/C Sawyer; 45 AA/C Sawyer; 46b AA/C Sawyer; 55 AA/C Sawyer; 56 AA/C Sawyer; 57b AA/C Sawyer; 57o AA/J A Tims; 58r AA/C Sawyer; 58l AA/C Sawyer; 59b AA/C Sawyer; 59r AA/C Sawyer; 60m AA/C Sawyer; 60o AA/C Sawyer; 61b Foto ter beschikking gesteld door de regering van Dubai, Department of Tourism and Commerce Marketing; 61o AA/C Sawyer; 62 AA/C Sawyer; 63b AA/C Sawyer; 63o AA/C Sawyer; 64/65 AA/C Sawyer; 66/67 AA/C Sawyer; 67b AA/C Sawyer; 67o AA/C Sawyer; 68 AA/C Sawyer; 69b AA/C Sawyer; 69m AA/C Sawyer; 70b AA/C Sawyer; 70o AA/C Sawyer; 71 Foto ter beschikking gesteld door de regering van Dubai, Department of Tourism and Commerce Marketing; 79 Jumeirah; 80 AA/C Sawyer; 81b AA/C Sawyer; 81o AA/C Sawyer; 82 AA/C Sawyer; 83b AA/C Sawyer; 83o Jumeirah; 84 AA/C Sawyer; 85 AA/C Sawyer; 86 AA/C Sawyer; 87 Jumeirah; 88/89 AA/C Sawyer; 90/91 R Barton; 91 R Barton; 92/93 AA/C Sawyer; 93b AA/C Sawyer; 93o AA/C Sawyer; 94 AA/C Sawyer; 95l AA/J A Tims, 95r R Barton; 96 R Barton; 97 Yadid Levy/Alamy; 105 Jumeirah; 106 AA/C Sawyer; 107 Jumeirah; 108/109 Foto ter beschikking gesteld door de regering van Dubai, Department of Tourism and Commerce Marketing; 108 AA/C Sawyer; 109 AA/C Sawyer; 110 AA/C Sawyer; 111b AA/C Sawyer; 111o Foto ter beschikking gesteld door de regering van Dubai, Department of Tourism and Commerce Marketing; 112/113 Jumeirah; 112 Jumeirah; 113b Jumeirah; 114b AA/C Sawyer; 114o AA/C Sawyer; 115 Jumeirah; 116b Jumeirah; 116/117 Jumeirah; 118b AA/C Sawyer; 118/119 AA/C Sawyer; 119b AA/C Sawyer; 119o AA/C Sawyer; 120b AA/C Sawyer; 120o AA/C Sawyer; 121b AA/C Sawyer; 121o AA/C Sawyer; 122b AA/C Sawyer; 122o Foto ter beschikking gesteld door de regering van Dubai, Department of Tourism and Commerce Marketing; 123b AA/C Sawyer; 123o Dubai Autodrome; 124b Dubai Autodrome; 124o Dubai Autodrome; 125ml AA/C Sawyer; 125mr AA/C Sawyer; 126 AA/C Sawyer; 135 AA/C Sawyer; 136 R Barton; 137 R Barton; 138 Profimedia.CZ s.r.o./Alamy; 139 John Henshall/Alamy; 140 Rivi Wickramarachchi/Alamy; 141 R Barton; 142 Foto ter beschikking gesteld door de regering van Dubai, Department of Tourism and Commerce Marketing; 143 AA/C Sawyer; 145 Hatta Fort Hotel; 146 Foto ter beschikking gesteld door de regering van Dubai, Department of Tourism and Commerce Marketing; 147 R Barton; 148 AA/C Sawyer; 150 AA/C Sawyer; 151 AA/C Sawyer; 152b AA/C Sawyer; 152o AA/C Sawyer; 153 R Barton; 155 AA/C Sawyer; 159br AA/C Sawyer; 159ml AA/C Sawyer; 159mr AA/C Sawyer.

Wij hebben ons uiterste best gedaan om de houders van auteursrechten na te gaan en bieden bij voorbaat onze excuses aan voor eventuele onvoorziene fouten. Wij verwerken de correcties graag in de volgende uitgave van dit boek.